Discurso de metafísica

Dados Internacionais de Catalogação na Publicação (CIP)
(Câmara Brasileira do Livro, SP, Brasil)

Leibniz, Gottfried Wilhelm, 1646-1716
  Discurso de metafísica / G.W. Leibniz ; tradução de Fábio Creder. – Petrópolis, RJ : Vozes, 2019. – (Coleção Vozes de Bolso)

  Título original: Discours de métaphysique
  ISBN 978-85-326-6132-6

  1. Filosofia alemã 2. Leibniz, Gottfried Wilhelm, 1646-1716 3. Leibniz – Metafísica 4. Metafísica I. Título. II. Série.

19-25685   CDD-149.7

Índices para catálogo sistemático:
1. Leibnizianismo : Filosofia   149.7

Cibele Maria Dias – Bibliotecária – CRB-8/9427

G.W. Leibniz

Discurso de metafísica

Tradução de Fábio Creder

Vozes de Bolso

Título do original em francês: *Discours de métaphysique*
A presente tradução foi realizada a partir do texto estabelecido
por Michel Fichant na edição publicada pela Gallimard em sua
coleção *Folio Essais*.

© desta tradução:
2019, Editora Vozes Ltda.
Rua Frei Luís, 100
25689-900 Petrópolis, RJ
www.vozes.com.br
Brasil

Todos os direitos reservados. Nenhuma parte desta obra poderá
ser reproduzida ou transmitida por qualquer forma e/ou
quaisquer meios (eletrônico ou mecânico, incluindo fotocópia e
gravação) ou arquivada em qualquer sistema ou banco de dados
sem permissão escrita da editora.

CONSELHO EDITORIAL

Diretor
Gilberto Gonçalves Garcia

Editores
Aline dos Santos Carneiro
Edrian Josué Pasini
Marilac Loraine Oleniki
Welder Lancieri Marchini

Conselheiros
Francisco Morás
Ludovico Garmus
Teobaldo Heidemann
Volney J. Berkenbrock

Secretário executivo
João Batista Kreuch

Editoração: Ana Lucia Q.M. Carvalho
Diagramação: Sheilandre Desenv. Gráfico
Revisão gráfica: Editora Vozes
Capa: Ygor Moretti

ISBN 978-85-326-6132-6

Editado conforme o novo acordo ortográfico.

Este livro foi composto e impresso pela Editora Vozes Ltda.

Sumário

I – Da perfeição divina e de que Deus faz tudo da maneira mais desejável., 11

II – Contra aqueles que sustentam que não há bondade nas obras de Deus; ou que as regras da bondade e da beleza são arbitrárias., 12

III – Contra aqueles que creem que Deus poderia fazer melhor., 13

IV – Que o amor de Deus exige uma inteira satisfação e aquiescência no tocante ao que Ele faz sem que para isso seja preciso ser quietista., 14

V – Em que consistem as regras de perfeição e como a simplicidade das vias está em equilíbrio com a riqueza dos efeitos., 15

VI – Que Deus nada faz fora da ordem e não é possível nem mesmo fingir eventos que não sejam regulares., 17

VII – Que os milagres são conformes à ordem geral, conquanto sejam contra as máximas subalternas, e do que Deus quer ou permite, por uma vontade geral ou particular., 18

VIII – Para distinguir entre as ações de Deus e as das criaturas, explica-se em que consiste a noção de uma substância individual., 19

IX – Que cada substância singular exprime todo o universo à sua maneira e que em sua noção todos os seus eventos estão compreendidos com todas as suas circunstâncias e toda a sequência das coisas exteriores., 21

X – Que a opinião das formas substanciais terá algo de sólido, se os corpos forem substâncias, mas que estas formas não mudam nada nos fenômenos e não devem ser empregadas para explicar os efeitos particulares., 22

XI – Que as meditações dos teólogos e filósofos chamados de escolásticos não devem ser desprezadas., 23

XII – Que as noções que consistem na extensão encerram algo de imaginário e não poderiam constituir a substância dos corpos., 24

XIII – Como a noção individual de cada pessoa encerra, de uma vez por todas, o que lhe acontecerá para sempre, nela se veem as provas *a priori* da verdade de cada acontecimento, ou por que um aconteceu em vez do outro; mas estas verdades, conquanto asseguradas, não deixam de ser contingentes, estando fundadas no livre-arbítrio de Deus ou das criaturas, cuja escolha tem sempre suas razões que inclinam sem necessitar., 25

XIV – Deus produz diversas substâncias segundo as diferentes visões que Ele tem do universo, e, pela mediação de Deus, a natureza própria de cada substância determina que o que acontece a uma corresponda ao que acontece a todas as outras, sem que ajam imediatamente umas sobre as outras., 29

XV – A ação de uma substância finita sobre outra consiste apenas no aumento do grau de sua expressão, junto à diminuição do da outra, enquanto Deus as obriga a se acomodarem juntas., 31

XVI – O concurso extraordinário de Deus está compreendido no que a nossa essência exprime, pois esta expressão se estende a tudo, mas ultrapassa as forças da nossa natureza ou nossa expressão distinta, a qual é finita, e segue certas máximas subalternas., 32

XVII – Exemplo de uma máxima subalterna ou lei da natureza. Onde é demonstrado, contra os cartesianos e vários outros, que Deus conserva sempre a mesma força, mas não a mesma quantidade de movimento., 34

XVIII – A distinção entre força e quantidade de movimento é importante, dentre outras coisas, para julgar que é preciso recorrer a considerações metafísicas separadas da extensão a fim de explicar os fenômenos dos corpos., 37

XIX – Utilidade das causas finais na física., 38

XX – Passagem notável de Sócrates em Platão contra os filósofos demasiado materiais., 40

XXI – Se as regras mecânicas dependessem exclusivamente da geometria sem a metafísica, os fenômenos seriam totalmente diferentes., 43

XXII – Conciliação das duas vias pelas finais e pelas eficientes, para satisfazer tanto àqueles que explicam a natureza mecanicamente como àqueles que recorrem a naturezas incorpóreas., 43

XXIII – Para voltar às substâncias imateriais, explica-se como Deus age sobre o entendimento dos espíritos e se se tem sempre a ideia do que se pensa., 46

XXIV – O que é conhecimento claro ou obscuro; distinto ou confuso; adequado e intuitivo; ou supositivo. Definição nominal, real, causal, essencial., 47

XXV – Em que caso nosso conhecimento é juntado à contemplação da ideia., 49

XXVI – Que temos em nós todas as ideias; e da reminiscência de Platão., 50

XXVII – Como nossa alma pode ser comparada a folhas de papel em branco, e como nossas noções provêm dos sentidos., 51

XXVIII – Só Deus é o objeto imediato das nossas percepções, que existe fora de nós, e só Ele é a nossa luz., 52

XXIX – No entanto, pensamos imediatamente pelas nossas próprias ideias e não pelas de Deus., 53

XXX – Como Deus inclina nossa alma sem a necessitar; que não se tem o direito de queixar-se, que não se deve perguntar por que Judas peca, mas somente por que Judas, o pecador, é admitido à existência preferivelmente a algumas outras pessoas possíveis. Da imperfeição original antes do pecado, e dos graus da graça., 54

XXXI – Dos motivos da eleição, da fé prevista, da ciência média, do decreto absoluto. E que tudo se reduz à razão pela qual Deus escolheu para a existência uma tal pessoa possível, cuja noção encerra uma tal série de graças e de ações livres. O que faz cessarem, de repente, as dificuldades., 57

XXXII – Utilidade destes princípios em matéria de piedade e religião., 59

XXXIII – Explicação da união da alma e do corpo, que passou por inexplicável ou miraculosa, e da origem das percepções confusas., 60

XXXIV – Da diferença entre espíritos e demais substâncias, almas ou formas substanciais, e de que a imortalidade que se exige implica a lembrança., 62

XXXV – Excelência dos espíritos, e que Deus os considera preferivelmente às outras criaturas. Que os espíritos exprimem antes Deus do que o mundo, mas que as outras substâncias exprimem antes o mundo do que Deus., 63

XXXVI – Deus é o monarca da mais perfeita república composta de todos os espíritos, e a felicidade desta cidade de Deus é o seu principal desígnio., 65

XXXVII – Jesus Cristo descobriu para os homens o mistério e as leis admiráveis do Reino dos Céus e a grandeza da suprema felicidade que Deus prepara para aqueles que o amam., 67

I – Da perfeição divina e de que Deus faz tudo da maneira mais desejável.

A noção de Deus mais aceita e mais significativa que temos está assaz bem exprimida nestes termos: Deus é um ser absolutamente perfeito; mas não se tem considerado suficientemente as suas consequências. E, para aí avançar ainda mais, é oportuno notar que há na natureza várias perfeições muito diferentes, que Deus as possui todas em conjunto, e que cada uma lhe pertence no grau mais soberano. Também é preciso conhecer o que é perfeição; eis, portanto, uma marca assaz segura dela, a saber: as formas ou naturezas que não são suscetíveis do último grau não são perfeições, como, por exemplo, a natureza do número ou da figura. Pois o número maior de todos (ou o número de todos os números), bem como a maior de todas as figuras, implicam contradição; mas a maior ciência e a onipotência não encerram impossibilidade. Por conseguinte, o poder e a ciência são perfeições, e na medida em que pertencem a Deus, não têm limites. Donde se segue que Deus, possuindo a sabedoria suprema e infinita, age da maneira mais perfeita, não somente no sentido metafísico, mas ainda moralmente falando, e que podemos exprimir assim a nosso respeito: quanto mais estivermos esclarecidos e informados acerca das obras de Deus tanto mais estaremos dispostos a achá-las excelentes e inteiramente conformes a tudo o que poderíamos desejar.

II – Contra aqueles que sustentam que não há bondade nas obras de Deus; ou que as regras da bondade e da beleza são arbitrárias.

Assim, estou muito afastado do sentimento daqueles que sustentam que não há regras de bondade e de perfeição na natureza das coisas, ou nas ideias que Deus tem delas, e que as obras de Deus só são boas por esta razão formal: Deus as fez. Se assim fosse, Deus, sabendo ser seu autor, só precisava vê-las posteriormente e achá-las boas, como o testemunha a Sagrada Escritura, que só parece ter se servido desta antropologia para comunicar-nos que se conhece sua excelência ao vê-las nelas mesmas, mesmo quando não se faça reflexão alguma sobre essa denominação totalmente nua, que as relaciona à sua causa. O que é tanto mais verdadeiro, na medida em que é pela consideração das obras que se pode descobrir o operário. É preciso, pois, que estas obras tragam nelas o seu caráter. Confesso que o sentimento contrário me parece extremamente perigoso e muito próximo daquele dos últimos inovadores, cuja opinião é a de que a beleza do universo e a bondade que atribuímos às obras de Deus são apenas quimeras dos homens que concebem Deus à sua maneira. Além disso, dizendo-se que as coisas não são boas por nenhuma regra de bondade, mas apenas pela vontade de Deus, parece-me que se destrói, sem pensar, todo o amor de Deus e toda a sua glória. Pois, por que louvá-lo pelo que Ele fez, se seria igualmente louvável fazendo exatamente o contrário? Onde estará então sua justiça e sua sabedoria, se só restar um certo poder despótico, se a vontade substituir a razão, e se, segundo a definição dos tiranos, o que agradar ao mais poderoso for por isso mesmo justo? Ademais, parece que toda vontade suponha alguma razão de querer, e que essa razão seja naturalmente anterior à vontade. Eis por que acho ainda totalmente estranha essa expressão de alguns outros filósofos que dizem que as verdades eternas da metafísica e da geometria, e, por conseguinte, também as regras da bondade, da justiça e da perfeição, são apenas os efeitos da vontade de Deus; ao passo que me parece que estas sejam apenas consequências de seu entendimento, que não depende de sua vontade, tampouco sua essência.

III – Contra aqueles que creem que Deus poderia fazer melhor.

Tampouco poderia aprovar a opinião de alguns modernos que sustentam audaciosamente que o que Deus faz não está na última perfeição, e que Ele teria podido agir bem melhor. Pois parece-me que as consequências desse sentimento sejam totalmente contrárias à glória de Deus: *Uti minus malum habet rationem boni, ita minus bonum habet rationem mali* (Como o mal menor tem uma medida de bem, assim o bem menor tem uma medida de mal). E é agir imperfeitamente agir com menos perfeição do que se teria podido. É objetar a obra de um arquiteto mostrar que ele poderia fazer melhor. Isso vai ainda contra a Sagrada Escritura, quando nos assegura a bondade das obras de Deus. Pois, como as imperfeições descem ao infinito, de qualquer forma que Deus tivesse feito a sua obra, teria sempre sido boa em comparação às menos perfeitas, se isso fosse suficiente; mas uma coisa dificilmente é louvável quando o seja apenas dessa maneira. Creio também que se encontrará uma infinidade de passagens da Sagrada Escritura e dos Santos Padres que favorecerão o meu sentimento, mas dificilmente se as encontrará para aquele desses modernos, que é, na minha opinião, desconhecido de toda a antiguidade, e baseado apenas no demasiado pouco conhecimento que temos da harmonia geral do universo e das razões ocultas da conduta de Deus, o que nos faz julgar temerariamente que muitas coisas teriam podido ser tornadas melhores. Ademais, esses modernos insistem em algumas sutilezas pouco sólidas, pois imaginam que nada seja tão perfeito que não haja alguma coisa mais perfeita, o que é um erro. Eles creem também prover assim a liberdade de Deus, como se esta não fosse a mais alta liberdade de agir com perfeição segundo a soberana razão. Pois acreditar que Deus aja em alguma coisa sem ter nenhuma razão de sua vontade, além de parecer impossível, é um sentimento pouco conforme a sua glória; por exemplo, suponhamos que Deus escolhesse entre *A* e *B* e tomasse *A* sem ter nenhuma razão de o preferir a *B*; digo que esta ação de Deus, pelo menos, não será louvável; pois todo louvor deve basear-se em alguma razão, que não se encontra aqui *ex hypothesi*. Em vez disso, mantenho que Deus não faz coisa alguma pela qual não mereça ser glorificado.

IV – Que o amor de Deus exige uma inteira satisfação e aquiescência no tocante ao que Ele faz sem que para isso seja preciso ser quietista.

O conhecimento geral desta grande verdade, que Deus age sempre da maneira mais perfeita e mais desejável possível, é, a meu ver, o fundamento do amor que devemos a Deus sobre todas as coisas, pois aquele que ama busca a sua satisfação na felicidade ou perfeição do objeto amado e de suas ações. *Idem velle et idem nolle vera amicitia est* (Querer a mesma coisa e não querer a mesma coisa é a verdadeira amizade). E acredito que seja difícil bem amar a Deus quando não se está disposto a querer o que Ele quer quando se teria o poder de o mudar. Com efeito, aqueles que não estão satisfeitos com o que Ele faz me parecem semelhantes a súditos descontentes cuja intenção não é muito diferente daquela dos rebeldes. Mantenho, portanto, que, segundo estes princípios, para agir em conformidade com o amor de Deus não basta ter paciência pela força, mas é preciso estar verdadeiramente satisfeito com tudo o que nos aconteceu segundo a sua vontade. Entendo esta aquiescência quanto ao passado. Pois, quanto ao futuro, não é preciso ser quietista, nem esperar, ridiculamente, de braços cruzados, o que Deus fará, segundo o sofisma que os antigos chamavam de *lógon áergon*, a razão preguiçosa, mas é preciso agir segundo a *vontade presuntiva* de Deus, tanto quanto a pudermos julgar, tentando, com todo o nosso poder, contribuir para o bem geral e, particularmente, para o ornamento e a perfeição do que nos toca, ou do que nos está próximo e, por assim dizer, ao alcance. Pois quando o acontecimento tiver talvez mostrado que Deus não quis presentemente que a nossa boa vontade tenha seu efeito, não se segue daí que Ele não tenha querido que nós fizéssemos o que fizemos. Ao contrário, como Ele é o melhor de todos os senhores, Ele jamais exige mais do que a reta intenção e a Ele pertence conhecer a hora e o lugar próprios para fazer realizarem-se os bons desígnios.

V – Em que consistem as regras de perfeição e como a simplicidade das vias está em equilíbrio com a riqueza dos efeitos.

É suficiente, portanto, ter em Deus esta confiança, de que Ele faz tudo pelo melhor, e de que nada poderia prejudicar aqueles que o amam; mas conhecer em particular as razões que puderam movê-lo a escolher esta ordem do universo, a sofrer os pecados, a dispensar suas graças salutares de uma certa maneira, isso ultrapassa as forças de um espírito finito, sobretudo quando ele não tiver ainda alcançado o gozo da visão de Deus. Entretanto, pode-se fazer algumas considerações gerais a respeito da conduta da Providência no governo das coisas. Pode-se, portanto, dizer que aquele que age perfeitamente é semelhante a um excelente geômetra, que sabe encontrar as melhores construções de um problema; a um bom arquiteto, que arranja o lugar e os fundos destinados à construção da maneira mais vantajosa, nada deixando de chocante, ou que seja destituído da beleza da qual ele é suscetível; a um bom pai de família, que emprega seus bens para que nada haja de inculto nem de estéril; a um hábil maquinista, que atinge seu fim pela via menos embaraçosa que se possa escolher; a um sábio autor, que encerra o máximo de realidade no mínimo de volume possível. Ora, os mais perfeitos de todos os seres e que menos ocupam volume, isto é, que menos se impedem, são os espíritos, cujas perfeições são as virtudes. Eis por que não se deve duvidar de que a felicidade dos espíritos seja o principal objetivo de Deus, e de que Ele a execute tanto quanto a harmonia geral o permita. Do que diremos mais em breve. No que se refere à simplicidade das vias de Deus, ela se realiza propriamente em relação aos meios, como, ao contrário, a variedade, riqueza ou abundância se realizam em relação aos fins ou efeitos. E um deve estar em equilíbrio com o outro, como as despesas destinadas a uma construção com a grandeza e a beleza exigidas. É verdade que nada custa a Deus, bem menos do que a um filósofo que faz hipóteses para a fábrica de seu mundo imaginário, porquanto Deus só precisa fazer decretos para fazer nascer um mundo real; mas, em matéria de sabedoria, os decretos ou hipóteses servem de despesa, à medida que são mais independentes umas das outras:

pois a razão quer que se evite a multiplicidade nas hipóteses ou princípios, mais ou menos como o sistema mais simples é sempre preferido em Astronomia.

VI – Que Deus nada faz fora da ordem e não é possível nem mesmo fingir eventos que não sejam regulares.

As vontades ou ações de Deus são comumente divididas em ordinárias e extraordinárias. Mas é bom considerar que Deus nada faz fora da ordem. Assim, o que parece extraordinário o é apenas em relação a alguma ordem particular estabelecida entre as criaturas. Pois, quanto à ordem universal, tudo nela está conforme. O que é tão verdadeiro, que não somente nada acontece no mundo que seja absolutamente irregular, mas não se poderia nem mesmo fingir nada disso. Pois suponhamos, por exemplo, que alguém faça muitos pontos sobre o papel ao acaso, como o fazem aqueles que exercem a arte ridícula da geomancia. Digo que é possível encontrar uma linha geométrica cuja noção seja constante e uniforme segundo uma certa regra, de modo a que esta linha passe por todos estes pontos, e na mesma ordem em que a mão os houver marcado. E se alguém traçasse, de uma só vez, uma linha que fosse ora reta, ora circular, ora de uma outra natureza, é possível encontrar uma noção, ou regra, ou equação comum a todos os pontos desta linha, em virtude da qual estas mesmas mudanças devam acontecer. E não há, por exemplo, rosto algum cujo contorno não faça parte de uma linha geométrica e não possa ser traçado com um único traço por um certo movimento regulado. Mas quando uma regra é muito complexa, o que lhe é conforme parece irregular. Assim, pode-se dizer que, de qualquer maneira que Deus criasse o mundo, ele teria sempre sido regular e em uma certa ordem geral. Mas Deus escolheu aquele que é o mais perfeito, ou seja, aquele que é ao mesmo tempo o mais simples em hipóteses e o mais rico em fenômenos, como poderia ser uma linha geométrica cuja construção fosse fácil e cujas propriedades e efeitos fossem admiráveis e de uma grande extensão. Sirvo-me dessas comparações para esboçar alguma semelhança imperfeita com a sabedoria divina, e para dizer o que possa, pelo menos, elevar nosso espírito a conceber de alguma forma o que não se saberia exprimir suficientemente. Mas eu não pretendo, de maneira alguma, explicar assim o grande mistério do qual depende todo o universo.

VII – Que os milagres são conformes à ordem geral, conquanto sejam contra as máximas subalternas, e do que Deus quer ou permite, por uma vontade geral ou particular.

Ora, porquanto nada se pode fazer que não esteja na ordem, pode-se dizer que os milagres estão na ordem tanto quanto as operações naturais, que se chamam assim porque são conformes a certas máximas subalternas que chamamos de a natureza das coisas. Pois pode-se dizer que esta natureza seja apenas um costume de Deus, do qual Ele pode dispensar-se por causa de uma razão mais forte do que aquela que o moveu a servir-se dessas máximas. Quanto às vontades gerais ou particulares, segundo se as considere, pode-se dizer que Deus faça tudo segundo a sua vontade mais geral, que é conforme à mais perfeita ordem que Ele escolheu; mas pode-se dizer também que Ele tenha vontades particulares que são exceções dessas máximas subalternas supracitadas, porque a mais geral das leis de Deus, que regula toda a sequência do universo, é sem exceção. Pode-se dizer também que Deus queira tudo o que seja um objeto da sua vontade particular; mas quanto aos objetos da sua vontade geral, tais como o são as ações das outras criaturas, particularmente daquelas racionais, com as quais Deus quer concorrer, é preciso distinguir: pois se a ação for boa em si mesma, pode-se dizer que Deus a queira e a ordene algumas vezes, mesmo que ela não aconteça, mas, se for má em si mesma e só se tornar boa por acidente, porque a consequência das coisas, e particularmente o castigo e a satisfação, corrige sua malignidade e recompensa seu mal com usura, de sorte que, enfim, se encontra mais perfeição em toda a consequência do que se todo o mal não tivesse acontecido, é preciso dizer que Deus a permite e não que Ele a queira, conquanto concorra para ela por causa das leis de natureza que Ele estabeleceu e porque Ele sabe tirar daí um bem maior.

VIII – Para distinguir entre as ações de Deus e as das criaturas, explica-se em que consiste a noção de uma substância individual.

É muito difícil distinguir as Ações de Deus daquelas das criaturas. Pois há quem creia que Deus faça tudo, outros imaginam que Ele não faça mais do que conservar a força que deu às criaturas: o que se segue mostrará como pode-se dizer ambas as coisas. Ora, porquanto as ações e paixões pertencem propriamente às substâncias individuais (*actiones sunt suppositorum* [as ações são dos sujeitos]), seria necessário explicar o que é uma tal substância. É bem verdade que, sempre que se atribui vários predicados a um mesmo sujeito, e não se atribui esse sujeito a nenhum outro, se o chama de substância individual; mas isso não é suficiente, e uma tal explicação é apenas nominal. É preciso então considerar o que é ser atribuído verdadeiramente a um certo sujeito. Ora, é constante que toda predicação verdadeira tem algum fundamento na natureza das coisas, e quando uma proposição não é idêntica, isto é, quando o predicado não está compreendido expressamente no sujeito, é preciso que nele esteja compreendido virtualmente, e é a isto que os filósofos chamam de *in-esse* (estar-em), dizendo que o predicado está no sujeito. Assim, é preciso que o termo do sujeito encerre sempre aquele do predicado, de sorte que aquele que entendesse perfeitamente a noção do sujeito também julgaria que o predicado lhe pertence. Assim sendo, podemos dizer que a natureza de uma substância individual ou de um ser completo é ter uma noção tão perfeita, que seja suficiente para compreender e para fazer deduzir dela todos os predicados do sujeito ao qual esta noção é atribuída. Ao passo que o acidente é um ser cuja noção não encerra tudo o que se pode atribuir ao sujeito ao qual se atribui esta noção. Assim, a qualidade de rei que pertence a Alexandre, o Grande, fazendo-se abstração do sujeito, não é suficientemente determinada para um indivíduo e não encerra as outras qualidades do mesmo sujeito, nem tudo o que a noção deste príncipe compreende, ao passo que Deus, vendo a noção individual ou hecceidade de Alexandre, nela vê, ao mesmo tempo, o fundamento e a razão de todos os predicados que se possam dizer dele verdadeiramente, como, por exemplo, que vencerá Dario e Poro, até a nela conhecer *a priori* (e não por experiência) se morreu de uma morte natural ou por veneno, o que nós só podemos saber pela história. Além disso, quando se considera bem a conexão das coisas, pode-se dizer que há desde sempre na alma de Alexandre restos de tudo o que lhe aconteceu e as marcas de tudo o que lhe acontecerá, e mesmo traços de tudo o que se passa no universo, conquanto só pertença a Deus reconhecê-los todos.

IX – Que cada substância singular exprime todo o universo à sua maneira e que em sua noção todos os seus eventos estão compreendidos com todas as suas circunstâncias e toda a sequência das coisas exteriores.

Seguem-se disso vários paradoxos consideráveis; como, entre outros, que não é verdadeiro que duas substâncias se assemelhem inteiramente e sejam diferentes *solo numero* (somente pelo número), e que o que Santo Tomás assegura sobre este ponto dos anjos ou inteligências (*quod ibi omne individuum sit species infima* [pois todo indivíduo é espécie ínfima]) é verdadeiro de todas as substâncias, desde que se tome a diferença específica como a tomam os geômetras em relação às suas figuras. *Item* que uma substância só poderia começar por criação, e só perecer por aniquilação; que não se divide uma substância em duas, nem se faz de duas uma, e que assim o número das substâncias naturalmente não aumenta e nem diminui, conquanto elas sejam frequentemente transformadas. Ademais, toda substância é como um mundo inteiro e como um espelho de Deus ou mesmo de todo o universo, que ela exprime cada uma à sua maneira, quase como uma mesma cidade é diversamente representada segundo as diferentes situações daquele que a olha. Assim, o universo é, de certa forma, multiplicado tantas vezes quantas substâncias houver, e a glória de Deus é redobrada do mesmo modo por tantas representações totalmente diferentes de sua obra. Pode-se mesmo dizer que toda substância porta, de certa forma, o caráter da sabedoria infinita e da onipotência de Deus, e o imita tanto quanto ela disso seja suscetível. Pois ela exprime, conquanto confusamente, tudo o que acontece no universo passado, presente ou futuro, o que tem alguma semelhança com uma percepção ou conhecimento infinito; e como todas as outras substâncias por sua vez a exprimem, e a ela se acomodam, pode-se dizer que ela estende seu poder a todas as outras, à imitação da onipotência do Criador.

X – Que a opinião das formas substanciais terá algo de sólido, se os corpos forem substâncias, mas que estas formas não mudam nada nos fenômenos e não devem ser empregadas para explicar os efeitos particulares.

Parece que tanto os antigos como muitas pessoas hábeis acostumadas às meditações profundas, que ensinaram teologia e filosofia há alguns séculos, e das quais algumas são recomendáveis por sua santidade, tiveram algum conhecimento do que acabamos de dizer, e é isso que as fez introduzir e manter as formas substanciais que são hoje tão desacreditadas. Mas não estão tão afastados da verdade, nem são tão ridículos como imagina o vulgar dos nossos novos filósofos.

Concordo que a consideração destas formas de nada sirva no pormenor da física e não deva ser empregada na explicação dos fenômenos em particular. E foi nisso que os nossos escolásticos falharam, e os médicos do passado a seu exemplo, crendo darem razão das propriedades dos corpos fazendo menção às formas e qualidades, sem se darem ao trabalho de examinar a maneira de operação; como quem se contentasse em dizer que um relógio tem a qualidade horodítica proveniente de sua forma, sem considerar em que tudo isto consiste. O que pode bastar, com efeito, para aquele que o compra, desde que ele abandone esse cuidado a outrem. Mas esta falha e mau uso das formas não devem nos fazer rejeitar uma coisa cujo conhecimento é tão necessário em metafísica que, sem ele, mantenho que não se poderia bem conhecer os primeiros princípios, nem elevar suficientemente o espírito ao conhecimento das naturezas incorpóreas e das maravilhas de Deus. No entanto, assim como um geômetra não tem necessidade de embaraçar o espírito no famoso labirinto da composição do contínuo, e nenhum filósofo moral, e ainda menos um jurisconsulto ou político, precisa submeter-se à pena das grandes dificuldades que se encontram na conciliação do livre-arbítrio com a providência de Deus, porquanto o geômetra pode concluir todas as suas demonstrações, e o político pode terminar todas as suas deliberações sem entrar nessas discussões, que não deixam de ser necessárias e importantes na filosofia e na teologia: do mesmo modo, um físico pode justificar experiências servindo-se ora das experiências mais simples já feitas, ora das demonstrações geométricas e mecânicas, sem precisar das considerações gerais que são de uma outra esfera; e se ele emprega o concurso de Deus, ou então alguma alma, arquê, ou outra coisa desta natureza, ele extravaga tanto quanto aquele que, em uma importante deliberação prática quisesse entrar nos grandes raciocínios sobre a natureza do destino e da nossa liberdade; como, com efeito, os homens cometem com bastante frequência esta falta sem nela pensar, quando embaraçam o espírito na consideração da fatalidade, e mesmo, por vezes, são desviados assim de alguma boa resolução ou de algum cuidado necessário.

XI – Que as meditações dos teólogos e filósofos chamados de escolásticos não devem ser desprezadas.

Sei que avanço um grande paradoxo ao pretender reabilitar de certa forma a antiga filosofia e recordar *postliminio* (por direito de retorno) as formas substanciais quase banidas; mas talvez não me condenem ligeiramente quando souberem que meditei bastante sobre a filosofia moderna, que dediquei muito tempo às experiências da física e às demonstrações da geometria, e que estive por muito tempo persuadido da vaidade destes entes, que fui enfim obrigado a retomar, a despeito de mim mesmo, e como que à força, após ter feito eu mesmo investigações que me fizeram reconhecer que os nossos modernos não são justos o bastante com Santo Tomás e outros grandes homens daquele tempo, e que há nos sentimentos dos filósofos e teólogos escolásticos bem mais solidez do que se imagina, desde que delas nos sirvamos oportunamente e em seu lugar. Estou mesmo persuadido de que, se algum espírito exato e meditativo se desse ao trabalho de esclarecer e digerir seu pensamento à maneira dos geômetras analíticos, encontraria neles um tesouro de inúmeras verdades muito importantes e absolutamente demonstrativas.

XII – Que as noções que consistem na extensão encerram algo de imaginário e não poderiam constituir a substância dos corpos.

Mas, para retomar o fio das nossas considerações, acredito que aquele que meditar sobre a natureza da substância, que expliquei acima, encontrará que toda a natureza do corpo não consiste somente na extensão, isto é, na grandeza, figura e movimento, mas que é preciso necessariamente reconhecer nela algo que tenha relação com as almas e que se chama vulgarmente de forma substancial, se bem que ela em nada modifique os fenômenos, nem tampouco a alma dos animais irracionais, se a tiverem. Pode-se mesmo demonstrar que a noção da grandeza, da figura e do movimento não é tão distinta quanto se imagina, e que ela encerra algo de imaginário e de relativo às nossas percepções, como o são ainda (conquanto bem mais) a cor, o calor e outras qualidades semelhantes, que se pode duvidar se encontram-se verdadeiramente na natureza das coisas fora de nós. É por isso que essas espécies de qualidades não podem constituir nenhuma substância. E se não há nenhum outro princípio de identidade no corpo além do que acabamos de dizer, nunca um corpo subsistirá por mais do que um momento. No entanto, as almas e as formas substanciais dos outros corpos são bem diferentes das almas inteligentes, as únicas que conhecem as suas ações, e que não somente não perecem naturalmente, mas guardam mesmo sempre o fundamento do conhecimento do que elas são; o que as torna as únicas suscetíveis de castigo e de recompensa e as faz cidadãs da república do universo, da qual Deus é o monarca, também se segue que todo o resto das criaturas lhes deve servir, do que logo falaremos mais amplamente.

XIII – Como a noção individual de cada pessoa encerra, de uma vez por todas, o que lhe acontecerá para sempre, nela se veem as provas *a priori* da verdade de cada acontecimento, ou por que um aconteceu em vez do outro; mas estas verdades, conquanto asseguradas, não deixam de ser contingentes, estando fundadas no livre-arbítrio de Deus ou das criaturas, cuja escolha tem sempre suas razões que inclinam sem necessitar.

Mas, antes de prosseguirmos, é preciso tentar resolver uma grande dificuldade que pode nascer dos fundamentos que nós lançamos acima. Dissemos que a noção de uma substância individual encerra, de uma vez por todas, tudo o que lhe pode alguma vez acontecer, e que, considerando esta noção, nela pode-se ver tudo o que se poderá verdadeiramente enunciar dela, como podemos ver na natureza do círculo todas as propriedades que dela se podem deduzir. Mas parece que, por isso, a diferença entre verdades contingentes e necessárias será destruída, a liberdade humana já não terá nenhum lugar, e uma fatalidade absoluta reinará sobre todas as nossas ações, bem como sobre todo o resto dos acontecimentos do mundo. A que respondo que é preciso distinguir entre o que é certo e o que é necessário: todo mundo permanece de acordo que os futuros contingentes estão assegurados, porquanto Deus os prevê, mas não se reconhece, por isto, que eles sejam necessários. Mas (dir-se-á) se alguma conclusão se puder deduzir infalivelmente de uma definição ou noção, ela será necessária. Ora, nós sustentamos que tudo o que deve acontecer a qualquer pessoa está já compreendido virtualmente na sua natureza ou noção, como as propriedades o estão na definição do círculo; assim, a dificuldade subsiste ainda. Para resolvê-la solidamente, digo que a conexão ou consecução é de dois tipos: uma é absolutamente necessária, aquela cujo contrário implique contradição, e esta dedução ocorre nas verdades eternas, como são aquelas da geometria; a outra só é necessária *ex hypothesi*, e, por assim dizer, por acidente, e ela é contingente nela mesma, sempre que o contrário não a implique. E esta conexão está fundada não sobre as ideias absolutamente puras e sobre o simples entendimento de Deus, mas sobre seus decretos livres e sobre a sequência do universo.

Vamos a um exemplo: porquanto Júlio César se tornará ditador perpétuo e senhor da república e suprimirá a liberdade dos romanos, esta ação está compreendida na sua noção, pois supomos que seja da natureza de uma tal noção perfeita de um sujeito tudo compreender a fim de que o predicado aí esteja encerrado, *ut possit inesse subjecto* (para que possa estar no sujeito). Poder-se-ia dizer que não é em virtude dessa noção ou ideia que ele deve cometer essa ação, porquanto ela só lhe convém porque Deus sabe tudo. Mas se insistirá que sua natureza ou forma responde a essa noção, e porquanto Deus lhe impôs essa personagem, lhe é doravante necessário satisfazê-la. Eu a isso poderia responder pela instância dos futuros contingentes, pois eles nada têm ainda de real, a não ser no entendimento e na vontade de Deus, e porquanto Deus lhes deu de antemão esta forma, será preciso mesmo assim que eles a ela respondam. Mas prefiro resolver as dificuldades a escusá-las pelo exemplo de quaisquer outras dificuldades semelhantes, e o que vou dizer servirá para esclarecer tanto uma quanto a outra. É, portanto, agora que é preciso aplicar a distinção das conexões, e digo que o que acontece conforme esses avanços é seguro, mas não é necessário, e se alguém fizesse o contrário, não faria nada de impossível em si mesmo, conquanto seja impossível (*ex hypothesi*) que isso aconteça. Pois se algum homem fosse capaz de concluir toda a demonstração em virtude da qual poderia provar esta conexão do sujeito que é César e do predicado que é o seu empreendimento bem-sucedido, ele mostraria, com efeito, que a ditadura futura de César tem seu fundamento na sua noção ou natureza, que nela se vê uma razão por que resolveu atravessar o Rubicão em vez de parar nele, e por que ganhou em vez de perder a batalha de Farsália; e que era razoável, e, por consequência, seguro de isso acontecer, mas não que seja necessário em si mesmo, nem que o contrário implique contradição. Quase como é razoável e seguro que Deus fará sempre o melhor, conquanto o que seja menos perfeito não implique (contradição). Pois se descobriria que esta demonstração deste predicado de César não é tão absoluta quanto aquelas dos números ou da geometria, mas que ela supõe a sequência das coisas que Deus escolheu livremente, e que está fundada no primeiro decreto livre de Deus, que determina fazer sempre o que é mais perfeito, e no decreto que Deus fez (depois do primeiro) em relação à natureza humana, de que o homem fará sempre (conquanto livremente), o que parecer melhor. Ora, toda verdade que seja fundada nesses tipos de decretos é contingente, conquanto seja certa; pois esses decretos não mudam a possibilidade das coisas, e, como já disse, conquanto Deus escolhesse sempre o melhor seguramente, isso não impede que o que é menos perfeito seja e permaneça possível em si mesmo, embora não aconteça, pois não é a sua impossibilidade, mas a sua imperfeição, que o faz rejeitar. Ora, nada cujo oposto seja possível é necessário. Alguém estará, portanto, em condições de resolver esses tipos de dificuldades, por maiores que pareçam (e efetivamente elas não são menos prementes em relação a todos os outros que alguma vez trataram desta matéria), desde que considere bem que todas as proposições contingentes têm razões para ser antes assim do que de outra maneira, ou então (o que é a mesma coisa) que elas têm provas *a priori* da sua verdade, que as tornam certas, e que mostram que a conexão do sujeito e do predicado destas proposições tem seu fundamento na natureza de um e do outro; mas que não têm demonstrações de necessidade, porquanto essas razões só estão fundadas no princípio da contingência ou da existência das coisas, quer dizer, no que é ou parece o melhor dentre várias coisas igualmente possíveis, ao passo que as verdades necessárias estão fundadas no princípio de contradição e na possibilidade ou impossibilidade das próprias essências, sem considerar nisso a vontade livre de Deus ou das criaturas.

XIV – Deus produz diversas substâncias segundo as diferentes visões que Ele tem do universo, e, pela mediação de Deus, a natureza própria de cada substância determina que o que acontece a uma corresponda ao que acontece a todas as outras, sem que ajam imediatamente umas sobre as outras.

Após ter conhecido, de certa forma, em que consiste a natureza das substâncias, é preciso tentar explicar a dependência que umas têm das outras, e suas ações e paixões. Ora, é primeiramente muito manifesto que as substâncias criadas dependem de Deus, que as conserva e até mesmo as produz continuamente por uma espécie de emanação, como nós produzimos os nossos pensamentos. Pois Deus, virando, por assim dizer, de todos os lados e de todas as formas o sistema geral dos fenômenos que Ele considera bom produzir para manifestar sua glória, e observando todas as faces do mundo de todas as maneiras possíveis, porquanto não existe relação que escape à sua onisciência, o resultado de cada visão do universo, como observada de um certo lugar, é uma substância que exprime o universo conforme a esta visão, se Deus considerar bom tornar seu pensamento efetivo e produzir esta substância. E como a visão de Deus é sempre verdadeira, nossas percepções também o são, mas são os nossos juízos que nos pertencem e nos enganam. Ora, dissemos acima, e segue-se do que acabamos de dizer, que cada substância é como um mundo à parte, independente de qualquer outra coisa fora de Deus; assim, todos os nossos fenômenos, quer dizer, tudo o que nos possa alguma vez acontecer, são apenas consequências de nosso ser. E como esses fenômenos guardam uma certa ordem conforme à nossa natureza, ou, por assim dizer, ao mundo que está em nós, que faz com que possamos fazer observações úteis para regular nossa conduta que são justificadas pelo sucesso dos fenômenos futuros, e que assim possamos frequentemente julgar o futuro pelo passado sem nos enganarmos, isto bastaria para dizer que esses fenômenos são verdadeiros sem nos afligirmos de que estejam fora de nós e se outros também os apercebem. No entanto, é muito verdadeiro que as percepções ou expressões de todas as substâncias se entrecorrespondem de sorte que, cada um, seguindo com cuidado certas razões ou leis que observou, se encontre com o outro que faça o mesmo, como quando várias pessoas, tendo combinado de se encontrarem juntas em algum lugar em um certo dia prefixado, o podem fazer efetivamente se quiserem. Ora, conquanto todos exprimam os mesmos fenômenos, não é por isso que as suas expressões sejam perfeitamente semelhantes, mas é suficiente que elas sejam proporcionais; como vários espectadores creem ver a mesma coisa, e, com efeito, se entreouvem, conquanto cada um veja e fale segundo a medida da sua visão. Ora, só há Deus (de quem todos os indivíduos emanam continuamente, e que vê o universo não somente como eles o veem, mas ainda de maneira completamente diferente de todos eles), que seja causa desta correspondência de seus fenômenos e que faça com que o que é particular para um seja público para todos; de outra maneira, não haveria ligação. Poder-se-ia, portanto, dizer, de certa forma e em um bom sentido, conquanto afastado do usual, que uma substância particular nunca atua sobre uma outra substância particular, e tampouco a padece, se

se considerar que o que acontece a cada uma é apenas uma consequência de sua ideia ou noção completa somente; porquanto esta ideia encerra já todos os predicados ou acontecimentos, e exprime todo o universo. Com efeito, nada nos pode acontecer além de pensamentos e percepções, e todos os nossos pensamentos e percepções futuros não passam de consequências, conquanto contingentes, dos nossos pensamentos e percepções precedentes, de tal maneira que, se eu fosse capaz de considerar distintamente tudo o que me acontece ou aparece nesta hora, eu nisso poderia ver tudo o que me acontecerá, ou me aparecerá por todo o sempre, o que não faltaria, e me aconteceria da mesma maneira, quando tudo o que está fora de mim fosse destruído, desde que não restasse senão Deus e eu. Mas como nós atribuímos a outras coisas como a causas agindo sobre nós o que nós apercebemos de uma certa maneira, é preciso considerar o fundamento deste juízo, e o que há de verdadeiro nele.

XV – A ação de uma substância finita sobre outra consiste apenas no aumento do grau de sua expressão, junto à diminuição do da outra, enquanto Deus as obriga a se acomodarem juntas.

Mas sem entrar em uma longa discussão, basta por ora, para conciliar a linguagem metafísica com a prática, notar que nós nos atribuímos mais e com razão os fenômenos que exprimimos mais perfeitamente, e atribuímos às outras substâncias o que cada uma exprime melhor. Assim, uma substância de extensão infinita, enquanto exprime tudo, torna-se limitada pela maneira da sua expressão mais ou menos perfeita. É, portanto, assim que se pode conceber que as substâncias se impeçam mutuamente ou se limitem e, por conseguinte, pode-se dizer neste sentido que elas agem uma sobre a outra, e são obrigadas, por assim dizer, a se acomodarem entre si, pois pode acontecer que uma mudança que aumente a expressão de uma, diminua a da outra. Ora, a virtude de uma substância particular é exprimir bem a glória de Deus, e é por isso que ela é menos limitada. E cada coisa, quando exerce sua virtude ou potência, isto é, quando age, muda para melhor e se estende enquanto age; quando então acontece uma mudança na qual várias substâncias são afetadas (como efetivamente toda mudança toca a todas), creio que se possa dizer que aquela que imediatamente assim passe a um maior grau de perfeição ou a uma expressão mais perfeita exerça sua potência e *aja*, e aquela que passe a um menor grau revele sua fraqueza, e *padeça*. Também mantenho que toda ação de uma substância que tenha perfeição importe em alguma volúpia, e toda paixão em alguma dor, e vice-versa. No entanto, pode muito bem acontecer que uma vantagem presente seja destruída por um mal muito maior em seguida; donde vem que se possa pecar agindo ou exercendo sua potência e nisso encontrando prazer.

XVI – O concurso extraordinário de Deus está compreendido no que a nossa essência exprime, pois esta expressão se estende a tudo, mas ultrapassa as forças da nossa natureza ou nossa expressão distinta, a qual é finita, e segue certas máximas subalternas.

Só resta agora explicar como é possível que Deus tenha, às vezes, influência sobre os homens ou sobre as outras substâncias por um concurso extraordinário e miraculoso, porquanto parece que nada lhes pode acontecer de extraordinário ou de sobrenatural, visto que todos os seus eventos são apenas consequências da sua natureza. Mas é preciso lembrar-se do que dissemos acima em relação aos milagres do universo, que são sempre conformes à lei universal da ordem geral, conquanto estejam acima das máximas subalternas. E, sobretudo porque toda pessoa ou substância é como um pequeno mundo que exprime o grande, pode-se dizer, da mesma maneira, que essa ação extraordinária de Deus sobre essa substância não deixa de ser miraculosa, embora seja compreendida na ordem geral do universo, enquanto expressado pela essência ou noção individual dessa substância. Eis por que, se compreendermos na nossa natureza tudo o que ela expressa, nada lhe é sobrenatural, pois ela se estende a tudo, um efeito exprimindo sempre a sua causa e Deus sendo a verdadeira causa das substâncias. Mas como o que a nossa natureza expressa mais perfeitamente lhe pertence de uma maneira particular, porquanto é nisto que a sua potência consiste, e ela é limitada, como acabo de explicar, há muitas coisas que ultrapassam as forças da nossa natureza, e mesmo aquelas de todas as naturezas limitadas. Por conseguinte, a fim de falar mais claramente, digo que os milagres e os concursos extraordinários de Deus possuem de peculiar o fato de não poderem ser previstos pelo raciocínio de algum espírito criado, por mais esclarecido que seja, porque a compreensão distinta da ordem geral os ultrapassa a todos, ao passo que tudo o que chamamos de natural depende das máximas menos gerais que as criaturas podem compreender. Portanto, a fim de que as palavras sejam tão irrepreensíveis quanto o sentido, seria bom ligar certas maneiras de falar a certos pensamentos, e se poderia chamar de nossa essência o que compreende tudo o que exprimimos, e como ela exprime a nossa união com o próprio Deus, ela não tem limites, e nada a ultrapassa. Mas o que é limitado em nós poderá ser chamado de nossa natureza ou nossa potência, e, a esse respeito, o que ultrapassa as naturezas de todas as substâncias criadas, é sobrenatural.

XVII – Exemplo de uma máxima subalterna ou lei da natureza. Onde é demonstrado, contra os cartesianos e vários outros, que Deus conserva sempre a mesma força, mas não a mesma quantidade de movimento.

Já várias vezes fiz menção das máximas subalternas ou leis da natureza, e parece que seria bom dar um exemplo delas: comumente os nossos novos filósofos se servem desta regra famosa, qual seja a de que Deus conserva sempre a mesma quantidade de movimento no mundo. Com efeito, ela é muito plausível, e no passado, eu a tinha por indubitável. Mas depois reconheci em que consiste o erro. É que o Sr. Descartes, e muitos outros hábeis matemáticos, acreditaram que a quantidade de movimento, isto é, a velocidade multiplicada pela grandeza do móvel, convém inteiramente à força motriz, ou, para falar geometricamente, que as forças são em razão compostas das velocidades e dos corpos. Ora, é razoável que a mesma força se conserve sempre no universo. Além disso, quando se presta atenção nos fenômenos, vê-se bem que o movimento perpétuo mecânico não acontece, porque assim a força de uma máquina, que é sempre um pouco diminuída pela fricção e deve logo terminar, se restauraria, e por consequência aumentaria por ela mesma sem qualquer impulso novo de fora; e nota-se também que a força de um corpo só é diminuída na medida em que ele a dá a quaisquer corpos contíguos ou às suas próprias partes na medida em que elas tenham um movimento à parte.

Assim, acreditaram que o que pode se dizer da força se poderia também dizer da quantidade de movimento. Mas, para mostrar sua diferença, *suponho* que um corpo, caindo de uma certa altura, adquira a força de subir de novo até ela, se a sua direção assim o levar, a menos que encontre quaisquer impedimentos: por exemplo, um pêndulo voltaria a subir perfeitamente à altura da qual desceu, se a resistência do ar e alguns outros pequenos obstáculos não diminuíssem um pouco a sua força adquirida. *Suponho*, também, que é preciso tanta força para elevar um corpo A, de uma libra, à altura CD de quatro toesas, quanto para elevar um corpo B, de quatro libras, à altura EF de uma toesa. Tudo isto é admitido pelos nossos novos filósofos. É, portanto, manifesto que o corpo A, tendo caído da altura CD, adquiriu tanta força precisamente como o corpo B caído da altura EF; pois o corpo (B), tendo chegado a F e aí tendo força para subir novamente até E (pela primeira suposição), tem por conseguinte a força de levar um corpo de quatro libras, isto é, o seu próprio corpo, à altura EF de uma toesa, e da mesma forma, o corpo (A), tendo chegado a D e aí tendo força para voltar a subir até C, tem a força de levar um corpo de uma libra, isto é, o seu próprio corpo, à altura CD de quatro toesas. Portanto, (pela segunda suposição), a força desses dois corpos é igual. Vejamos agora se a quantidade de movimento é também a mesma de ambos os lados; mas é aí que se ficará surpreso de encontrar uma diferença grandíssima. Pois foi demonstrado por Galileu que a velocidade adquirida pela queda CD tem o dobro da velocidade adquirida pela queda EF, conquanto a altura seja quádrupla. Multipliquemos então o corpo A, que é como 1, pela sua velocidade, que é como 2, o produto ou a quantidade de movimento será como 2; e, por outro lado, multipliquemos o corpo B, que é como 4, pela sua velocidade, que é como 1, o produto ou a quantidade de movimento será como 4. Logo, a quantidade de movimento do corpo (A) no ponto D é a metade da quantidade de movimento do corpo (B) no ponto F, e, no entanto, suas forças são iguais; portanto, há muita diferença entre a quantidade de movimento e a força, o que era preciso demonstrar.

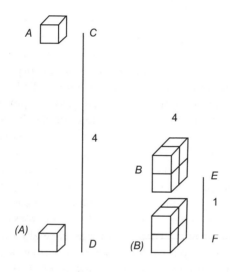

Vê-se, portanto, como a força deve ser estimada pela quantidade do efeito que ela pode produzir, por exemplo, pela altura à qual um corpo pesando uma certa grandeza e espécie pode ser elevado, o que é bem diferente da velocidade que se lhe pode dar. E para lhe dar o dobro da velocidade, é necessário mais do que o dobro da força. Nada é mais simples do que esta prova; e o Sr. Descartes só caiu aqui no erro porque confiou demais nos seus pensamentos, mesmo quando não estavam ainda assaz maduros. Mas eu me espanto com o fato de seus sectários não terem depois se apercebido deste erro, e receio que comecem, pouco a pouco, a imitar alguns peripatéticos, dos quais escarnecem, e que se acostumem, como estes, a antes consultarem os livros de seu mestre que a razão e a natureza.

XVIII – A distinção entre força e quantidade de movimento é importante, dentre outras coisas, para julgar que é preciso recorrer a considerações metafísicas separadas da extensão a fim de explicar os fenômenos dos corpos.

Esta consideração da força distinguida da quantidade de movimento é assaz importante, não somente na física e na mecânica, para encontrar as verdadeiras leis da natureza e regras do movimento e até mesmo para corrigir vários erros de prática que se imiscuíram nos escritos de alguns hábeis matemáticos, mas também na metafísica, para melhor entender os princípios, pois o movimento, se não se o considera o que compreende precisa e formalmente, ou seja, uma mudança de lugar, não é uma coisa inteiramente real, e, quando vários corpos mudam de situação entre eles, não é possível determinar, pela simples consideração destas mudanças, a qual dentre eles o movimento ou o repouso deve ser atribuído, como eu poderia demonstrar geometricamente, se eu nisso quisesse me deter agora. Mas a força ou causa próxima dessas mudanças é algo mais real, e há bastante fundamento para se atribuí-la a um corpo em vez de outro; aliás, só por isso pode-se conhecer a qual o movimento pertence mais. Ora, esta força é algo diferente da grandeza, da figura e do movimento, e pode-se julgar por isso que tudo o que seja concebido no corpo não consista unicamente na extensão e nas suas modificações, como os nossos modernos persuadem-se. Assim, somos ainda obrigados a restabelecer alguns entes ou formas que eles baniram. E parece cada vez mais, conquanto todos os fenômenos particulares da natureza se possam explicar matemática ou mecanicamente por aqueles que os entendem, que, no entanto, os princípios gerais da natureza corporal e da própria mecânica sejam antes metafísicos do que geométricos, e pertençam antes a algumas formas ou naturezas indivisíveis, como causas das aparências, do que à massa corpórea ou extensa. Reflexão que é capaz de reconciliar a filosofia mecânica dos modernos com a circunspecção de algumas pessoas inteligentes e bem-intencionadas que receiam com alguma razão que se afaste demais dos entes imateriais em prejuízo da piedade.

XIX – Utilidade das causas finais na física.

Como não gosto de julgar mal as pessoas, não acuso os nossos novos filósofos que pretendem banir as causas finais da física, mas sou, não obstante, obrigado a reconhecer que as consequências deste sentimento me parecem perigosas, sobretudo quando eu as associo àquele que refutei no começo deste discurso, que parece chegar a eliminá-las totalmente, como se Deus, ao agir, não se propusesse nenhum fim nem bem, ou como se o bem não fosse o objeto da sua vontade. Mantenho, ao contrário, que aí seja onde é preciso buscar o princípio de todas as existências e leis da natureza, porque Deus se propõe sempre o melhor e o mais perfeito. Estou disposto a admitir que estamos sujeitos a nos enganar quando pretendemos determinar os fins ou conselhos de Deus, mas só quando os pretendemos limitar a algum desígnio particular, acreditando que Ele só teve em vista uma única coisa, ao passo que Ele tem, ao mesmo tempo, atenção a tudo; como quando cremos que Deus fez o mundo exclusivamente para nós, é um grande engano, conquanto seja muito verdadeiro que Ele o tenha feito inteiramente para nós, e que nada haja no universo que não nos diga respeito, e que nem tampouco se acomode às considerações que Ele tem por nós, segundo os princípios postos acima. Assim, quando vemos algum bom efeito ou perfeição que provenha ou decorra das obras de Deus, podemos dizer seguramente que Deus se propôs a fazê-lo. Pois Ele nada faz por acaso, e não é semelhante a nós, a quem Ele escapa por vezes de fazer bem. É por isso que, bem longe de se poder errar neste assunto, como fazem os políticos indignados que imaginam demasiado refinamento nos desígnios dos príncipes, ou como fazem os comentadores que procuram demasiada erudição no seu autor; não se poderia atribuir demasiadas reflexões a esta sabedoria infinita, e não há nenhuma matéria onde haja menos erro a temer enquanto não se faça mais do que afirmar, e desde que se abstenha aqui das proposições negativas, que limitam os desígnios de Deus. Todos aqueles que veem a admirável estrutura dos animais se veem levados a reconhecer a sabedoria do autor das coisas, e aconselho àqueles que tenham algum sentimento de piedade e mesmo de verdadeira filosofia, a se afastarem das frases de alguns espíritos demasiadamente pretensiosos, que dizem que vemos porque acontece de termos olhos, sem que os olhos tenham sido feitos para ver. Quando se está seriamente nestes sentimentos que dão tudo à necessidade da matéria ou a um certo acaso (conquanto ambos devam parecer ridículos para aqueles que entendem o que explicamos acima), é difícil que se possa reconhecer um autor inteligente da natureza. Pois o efeito deve corresponder à sua causa, e até mesmo ele se conhece melhor pelo conhecimento da causa, e é irrazoável introduzir uma inteligência soberana ordenadora das coisas e depois, em vez de empregar sua sabedoria, servir-se exclusivamente das propriedades da matéria para explicar os fenômenos. Como se, para explicar uma conquista que um grande príncipe fez ao tomar qualquer praça de importância, um historiador quisesse dizer que é porque os corpúsculos da pólvora de canhão, sendo liberados ao contato com uma faísca, escaparam com uma velocidade capaz de atirar um corpo duro e pesado contra as muralhas da praça, enquanto os ramos dos corpúsculos que compõem o cobre do canhão estivessem suficientemente bem entrelaçados, para não se dissociarem por essa velocidade; em vez de nos mostrar como a previdência do conquistador lhe fez escolher o tempo e os meios convenientes, e como o seu poder superou todos os obstáculos.

XX – Passagem notável de Sócrates em Platão contra os filósofos demasiado materiais.

Isto faz-me lembrar de uma bela passagem de Sócrates no *Fédon* de Platão, que é maravilhosamente conforme aos meus sentimentos sobre este ponto, e parece ser feita de propósito contra os nossos filósofos demasiado materiais. Também essa relação me deu vontade de a traduzir, conquanto seja um pouco longa; talvez esta amostra possa dar ocasião a alguém de partilhar conosco muitos outros pensamentos belos e sólidos que se encontram nos escritos deste famoso autor.

Inseratur locus ex Phaedone Platonis ubi Socrates Anaxagoram irridet, qui mentem introducit nec ea utitur. (Inserir a passagem do Fédon de Platão, onde Sócrates zomba de Anaxágoras, que introduz o espírito, mas não o usa.)

Eu ouvi um dia, diz ele, alguém ler em um livro de Anaxágoras, onde havia estas palavras, que um ser inteligente era causa de todas as coisas, e que ele as tinha disposto e ornado. Isso me comprazeu extremamente, porque eu acreditava que se o mundo fosse o efeito de uma inteligência, tudo seria feito da maneira mais perfeita possível. Eis por que eu acreditava que aquele que quisesse explicar a razão pela qual as coisas se engendram ou perecem ou subsistem, deveria pesquisar o que seria conveniente à perfeição de cada coisa. Assim, o homem só teria que considerar em si ou em qualquer outra coisa o que seria o melhor e o mais perfeito. Pois aquele que conhecesse o mais perfeito, por conseguinte julgaria facilmente o que fosse imperfeito, porque só há uma mesma ciência de um e do outro. Considerando tudo isto, regozijava-me de ter encontrado um mestre que pudesse ensinar as razões das coisas: por exemplo, se a Terra era antes redonda do que plana, e por que tinha sido melhor que ela fosse assim do que de outro modo. Além disso, esperava que, dizendo que a Terra está no centro do universo, ou não, ele me explicasse por que isso tem sido o mais conveniente. E que ele me dissesse tanto do sol, da lua, das estrelas e dos seus movimentos... E que, enfim, após ter mostrado o que seria conveniente a cada coisa em particular, me mostrasse o que seria o melhor em geral. Cheio desta esperança, tomei e percorri os livros de Anaxágoras com grande avidez; mas me achei bem afastado da minha conta, pois fiquei surpreso de ver que ele não se servia desta inteligência governadora que ele havia avançado, que ele já não falava do ornamento nem da perfeição das coisas, e que introduzia certas matérias etéreas pouco verossímeis. No que fazia como aquele que, tendo dito que Sócrates faz as coisas com inteligência, e vindo em seguida a explicar, em particular, as causas de suas ações, dissesse estar sentado aqui por ter um corpo composto de ossos, de carne e de nervos, que os ossos são sólidos, mas têm intervalos ou articulações, que os nervos podem ser tensionados e relaxados, e por isso o corpo é flexível e, enfim, que estou sentado. Ou se, querendo justificar este presente discurso, recorresse ao ar, aos órgãos da voz e da audição, e coisas semelhantes, esquecendo, no entanto, as verdadeiras causas, a saber, que os atenienses acreditaram que seria melhor me condenar do que me absolver, e que eu mesmo acreditei ser melhor permanecer sentado aqui do que fugir. Pois minha fé, sem isso, há muito que esses nervos e esses ossos estariam junto dos Beócios e Megários, se eu não tivesse achado que é mais justo e honesto para mim sofrer a pena que a pátria me quer impor do que viver alhures, vagabundo e exilado. Por isso é irrazoável chamar esses ossos e esses nervos e seus movimentos de causas. É verdade que aquele que dissesse que eu não poderia fazer tudo isso sem ossos e sem nervos teria razão. Mas uma coisa é a verdadeira causa e outra coisa o que é apenas uma condição sem a qual a causa não poderia ser causa. As pessoas que dizem somente, por exemplo, que o movimento de rotação dos corpos sustenta a terra aí onde ela está, esquecem que a potência divina dispõe tudo da mais bela maneira, e não compreendem que é o bem e o belo que juntam, que formam e que mantêm o mundo. Até aqui, Sócrates.

XXI – Se as regras mecânicas dependessem exclusivamente da geometria sem a metafísica, os fenômenos seriam totalmente diferentes.

Ora, porquanto sempre se reconheceu a sabedoria de Deus no pormenor da estrutura mecânica de alguns corpos particulares, é preciso que ela seja mostrada também na economia geral do mundo e na constituição das leis da natureza. O que é tão verdadeiro, que se observam os conselhos dessa sabedoria nas leis do movimento em geral. Pois, se só houvesse no corpo uma massa extensa, e se só houvesse no movimento a mudança de lugar, e se tudo se devesse e pudesse deduzir exclusivamente destas definições por uma necessidade geométrica, se seguiria, como já demonstrei alhures, que o menor corpo daria ao maior que estivesse em repouso e que ele encontrasse, a mesma velocidade que ele tem, sem perder o que quer que seja da sua, e seria preciso admitir muitas outras regras tais, totalmente contrárias à formação de um sistema. Mas o decreto da sabedoria divina de conservar sempre a mesma força e a mesma direção em suma, o proveu. Acho mesmo que vários efeitos da natureza se podem demonstrar duplamente, a saber: pela consideração da causa eficiente, e ainda à parte, pela consideração da causa final; servindo-se, por exemplo, do decreto de Deus de produzir sempre seu efeito pelas vias mais fáceis e as mais determinadas, como demonstrei alhures, ao justificar as regras da catóptrica e da dióptrica, e, sobre este assunto, direi mais em breve.

XXII – Conciliação das duas vias pelas finais e pelas eficientes, para satisfazer tanto àqueles que explicam a natureza mecanicamente como àqueles que recorrem a naturezas incorpóreas.

É bom fazer esta observação para conciliar aqueles que esperam explicar mecanicamente a formação da primeira textura de um animal e de toda a máquina das partes com aqueles que explicam esta mesma estrutura pelas causas finais. Ambas as explicações são boas, ambas podem ser úteis, não somente para se admirar o artifício do grande operário, mas ainda para descobrir algo útil na física e na medicina. E os autores que seguem estas vias diferentes não deveriam se maltratar. Pois eu vejo que aqueles que se empenham em explicar a beleza da divina anatomia caçoam dos outros que imaginam que um movimento de certos fluidos, que parece fortuito, possa fazer uma tão bela variedade de membros, e chamam essas pessoas de temerárias e leigas. E estas, ao contrário, chamam os primeiros de simplórios e supersticiosos, semelhantes àqueles antigos que tomavam os físicos por ímpios quando sustentavam que não é Júpiter que trovoa, mas alguma matéria que se encontra nas nuvens. O melhor seria juntar ambas as considerações, pois, se é permitido servir-se de uma comparação grosseira, reconheço e exalto a destreza de um operário não somente mostrando quais desígnios ele teve ao fazer as peças de sua máquina, mas ainda explicando os instrumentos dos quais se serviu para fazer cada peça, sobretudo quando esses instrumentos são simples e engenhosamente inventados. E Deus é um artesão bastante hábil para produzir uma máquina mil vezes ainda mais engenhosa do que aquela do nosso corpo, servindo-se apenas de alguns licores bastante simples expressamente formados de maneira que só sejam necessárias as leis ordinárias da natureza para os desembaraçar como é preciso a fim de produzir um efeito tão admirável; mas também verdade que isso não aconteceria se Deus não fosse o autor da natureza. No entanto, acho que a via das causas eficientes, que é, de fato, mais profunda e, de certa forma, mais imediata e *a priori*, é, em contrapartida, bastante difícil quando se vai ao pormenor, e creio que os nossos filósofos, frequentemente, estão ainda bem distanciados dela. Mas a via das finais é mais fácil, e não deixa de servir frequentemente para adivinhar verdades importantes e úteis, que procuraríamos por muito tempo esse outro caminho mais físico, do qual a Anatomia pode fornecer exemplos consideráveis. Também mantenho que Snellius, que foi o primeiro inventor das regras da refração, demoraria mais a encontrá-las se primeiramente quisesse pesquisar como a luz se forma. Mas ele seguiu aparentemente o método do qual os antigos se serviram para a catóptrica, que é, de fato, pelas finais. Pois, ao buscar a via mais fácil para conduzir um feixe de luz de um ponto dado a um outro ponto dado pela reflexão de um plano dado (supondo-se que seja o desígnio da natureza), acharam a igualdade dos ângulos de incidência e de reflexão, como pode-se ver em um pequeno tratado de Heliodoro de Larissa e alhures. O que o Sr. Snellius, como creio, e depois dele (conquanto sem nada saber dele), o Sr. Fermat, aplicaram mais engenhosamente à refração. Pois, sempre que os raios observam nos mesmos meios a mesma proporção dos senos, que é também aquela das resistências dos meios, vê-se que é a via mais fácil ou pelo menos a mais determinada para passar de um ponto dado em um meio a um ponto dado em um outro. E falta muito para que a demonstração deste mesmo teorema, que o Sr. Descartes pretendeu oferecer pela via das eficientes, seja tão boa. Pelo menos há razões para se suspeitar que ele jamais a teria encontrado por aí, se, na

Holanda, ele nada tivesse aprendido da descoberta de Snellius.

XXIII – Para voltar às substâncias imateriais, explica-se como Deus age sobre o entendimento dos espíritos e se se tem sempre a ideia do que se pensa.

Achei oportuno insistir um pouco nestas considerações das finais, das naturezas incorpóreas e de uma causa inteligente com relação aos corpos, para demonstrar seu uso até mesmo na física e nas matemáticas, a fim de purgar, por um lado, a filosofia mecânica da profanidade que se lhe imputa, e, por outro, elevar o espírito dos nossos filósofos de considerações materiais somente a meditações mais nobres. Agora, será conveniente retornar dos corpos às naturezas imateriais e particularmente aos espíritos, e dizer algo da maneira da qual Deus se serve para esclarecê-los e agir sobre eles, no que não se deve duvidar de que também haja certas leis da natureza, das quais poderei falar mais amplamente em outro lugar. Por ora, bastará abordar alguma coisa acerca das ideias, e se vemos todas as coisas em Deus e como Deus é nossa luz. Ora, será oportuno observar que o mau uso das ideias ocasiona numerosos erros. Pois, quando se raciocina sobre alguma coisa, imagina-se ter uma ideia desta coisa, e é o fundamento sobre o qual alguns filósofos antigos e novos edificaram uma certa demonstração de Deus que é bastante imperfeita. Pois, dizem eles, é preciso que eu tenha uma ideia de Deus ou de um ser perfeito, porquanto eu penso nele, e não se poderia pensar sem ideia; ora, a ideia deste ser encerra todas as perfeições, e a existência é uma delas, por conseguinte, Ele existe. Mas como nós pensamos frequentemente em quimeras impossíveis, por exemplo, no último grau da velocidade, no maior de todos os números no encontro da concoide com a sua base ou regra, este raciocínio não é suficiente. É, portanto, neste sentido que se pode dizer que há ideias verdadeiras e falsas, segundo a coisa de que se trate seja possível ou não. E é então que alguém pode se gabar de ter uma ideia da coisa, sempre que esteja seguro de sua possibilidade. Assim, o argumento supracitado prova, pelo menos, que Deus existe necessariamente, se for possível. O que é, com efeito, um excelente privilégio da natureza divina, o de precisar apenas da sua possibilidade ou essência para existir atualmente, e é justamente o que se chama de *ens a se* (um ser por si).

XXIV – O que é conhecimento claro ou obscuro; distinto ou confuso; adequado e intuitivo; ou supositivo. Definição nominal, real, causal, essencial.

Para melhor entender a natureza das ideias é preciso tocar algo da variedade dos conhecimentos. Quando posso reconhecer uma coisa entre outras, sem poder dizer em que consistem suas diferenças ou propriedades, o conhecimento é *confuso*. É assim que às vezes conhecemos *claramente*, sem dúvida alguma, se um poema ou mesmo um quadro estão bem ou mal feitos, porque há um *não sei quê* que nos satisfaz ou que nos choca. Mas quando posso explicar as marcas que tenho, o conhecimento se chama *distinto*. E tal é o conhecimento de um experimentador, que discerne o verdadeiro do falso mediante certas provas ou marcas que constituem a definição do outro. Mas o conhecimento distinto tem graus, pois ordinariamente as noções que entram na definição precisariam elas mesmas de definição e só são conhecidas confusamente. Mas quando tudo o que entra em uma definição ou conhecimento distinto é conhecido distintamente, até as noções primitivas, chamo a este conhecimento de *adequado*. E quando o meu espírito compreende ao mesmo tempo e distintamente todos os ingredientes primitivos de uma noção, ele tem dela um conhecimento *intuitivo*, que é bem raro, pois a maior parte dos conhecimentos humanos são somente confusos ou *supositivos*. É bom também discernir entre as definições nominais e as reais: chamo de *definição nominal*, quando se pode ainda duvidar se a noção definida é possível, como, por exemplo, se digo que um parafuso sem fim é uma linha sólida cujas partes são congruentes ou podem incidir uma sobre a outra; aquele que, aliás, não conhece o que é um parafuso sem fim poderá duvidar se uma tal linha é possível, embora de fato esta seja uma propriedade recíproca do parafuso sem fim, pois as outras linhas, cujas partes são congruentes (que são apenas a circunferência do círculo e a linha reta) são planas, quer dizer, se podem descrever *in plano*. Isto demonstra que toda propriedade recíproca pode servir a uma definição nominal; mas, quando a propriedade revela a possibilidade da coisa, ela produz a definição real; e enquanto tem-se apenas uma definição nominal, não se poderá se assegurar das consequências que dela se retira, pois, se ela ocultasse alguma contradição ou impossibilidade, dela se poderia tirar conclusões opostas. Eis por que as verdades não dependem dos nomes, nem são arbitrárias, como alguns novos filósofos acreditaram. De resto, há ainda muita diferença entre as espécies de definições reais, pois, quando a possibilidade é provada exclusivamente pela experiência, como na definição do mercúrio, cuja possibilidade se conhece porque se sabe que um tal corpo, que é um fluido, extremamente pesado e, no entanto, assaz volátil, é efetivamente encontrado, a definição é somente *real* e nada mais; mas quando a prova da possibilidade se faz *a priori*, a definição é ainda *real* e *causal*, como quando ela contém a geração possível da coisa; e quando ela leva a análise até o fim, até as noções primitivas, sem nada supor que tenha necessidade de prova *a priori* de sua possibilidade, a definição é perfeita ou *essencial*.

XXV – Em que caso nosso conhecimento é juntado à contemplação da ideia.

Ora, é manifesto que não temos nenhuma ideia de uma noção quando ela é impossível. E sempre que o conhecimento é apenas *supositivo*, quando teríamos a ideia, nós não a contemplamos, pois uma tal noção só se conhece da mesma maneira que as noções ocultamente impossíveis, e se ela é possível, não é por esta maneira de conhecer que se a aprende. Por exemplo, sempre que penso em mil ou em um quiliógono, eu amiúde o faço sem contemplar a ideia dele (como sempre que digo que mil é dez vezes cem), sem me dar ao trabalho de pensar o que é 10 e 100, porque *suponho* sabê-lo e não creio precisar no momento parar para concebê-lo. Assim, poderá muito bem acontecer, como acontece com efeito assaz amiúde, que eu me engane acerca de uma noção que suponho ou creio entender, conquanto, na verdade, ela seja impossível, ou, pelo menos, incompatível com as outras às quais eu a junto, e quer eu me engane ou não, esta maneira supositiva de conceber permanece a mesma. Só então quando o nosso conhecimento é *claro* nas noções confusas, ou quando é *intuitivo* nas distintas, é que nele vemos a ideia inteira.

XXVI – Que temos em nós todas as ideias; e da reminiscência de Platão.

Para bem conceber o que é uma ideia é preciso evitar um equívoco, pois muitos tomam a ideia pela forma ou diferença de nossos pensamentos, e desta maneira nós só temos a ideia no espírito enquanto pensamos nela, e todas as vezes que pensamos nela de novo, nós temos outras ideias da mesma coisa, conquanto semelhantes às precedentes. Mas parece que outros tomam a ideia por um objeto imediato do pensamento ou por alguma forma permanente que permanece mesmo quando não a contemplamos. E, com efeito, nossa alma tem sempre nela a qualidade de se representar qualquer natureza ou forma que seja, quando se apresenta a ocasião de pensar nela. E acredito que esta qualidade de nossa alma, enquanto exprime qualquer natureza, forma ou essência, é propriamente a ideia da coisa, que está em nós e que está sempre em nós, quer nela pensemos ou não. Pois nossa alma exprime Deus e o universo e todas as essências, assim como todas as existências. Isto concorda com os meus princípios, pois naturalmente nada nos entra no espírito de fora, e é um mau hábito que nós temos de pensar como se a nossa alma recebesse quaisquer espécies mensageiras e como se ela tivesse portas e janelas. Nós temos na mente todas estas formas, e as temos mesmo desde sempre, porque a mente exprime sempre todos os seus pensamentos futuros, e já pensa confusamente em tudo o que um dia pensará distintamente. E nada nos poderia ser ensinado cuja ideia não tenhamos já no espírito, ideia essa que é como a matéria da qual este pensamento se forma. É o que Platão considerou excelentemente bem quando avançou sua reminiscência que tem muita solidez, desde que se a compreenda bem, que se a purgue do erro da preexistência e que não se imagine que a alma deva já ter sabido e pensado distintamente outrora o que ela aprende e pensa agora. Ele também confirmou seu sentimento por uma bela experiência, introduzindo um rapazinho que leva insensivelmente a verdades muito difíceis da geometria tocantes aos incomensuráveis, sem nada lhe ensinar, fazendo somente perguntas por ordem e a propósito. O que demonstra que a nossa alma sabe tudo isso virtualmente, e só precisa de *animadversion* para conhecer as verdades, e, por consequência, que ela tem pelo menos suas ideias das quais estas verdades dependem. Pode-se até mesmo dizer que ela já possua estas verdades, quando se as toma por relações de ideias.

XXVII – Como nossa alma pode ser comparada a folhas de papel em branco, e como nossas noções provêm dos sentidos.

Aristóteles preferiu comparar nossa alma a folhas de papel ainda em branco, onde há espaço para escrever, e sustentou que nada está no nosso entendimento que não venha dos sentidos. Isso está mais de acordo com as noções populares, como é a maneira de Aristóteles, ao passo que Platão vai mais fundo. No entanto, estas espécies de doxologias ou praticologias podem passar ao uso ordinário, mais ou menos como vemos que aqueles que seguem Copérnico não deixam de dizer que o sol se levanta e se põe. Eu amiúde acho mesmo que se lhes possa dar um bom sentido segundo o qual elas nada têm de falso, como já indiquei de que forma se pode dizer verdadeiramente que as substâncias particulares agem umas sobre as outras, e neste mesmo sentido, pode-se dizer também que recebemos de fora conhecimentos por intermédio dos sentidos, porque algumas coisas externas contêm ou exprimem mais particularmente as razões que determinam nossa alma a certos pensamentos. Mas quando se trata da exatidão das verdades metafísicas, é importante reconhecer a extensão e a independência da nossa alma, que vai infinitamente mais longe do que pensa o vulgar, conquanto no uso ordinário da vida só se lhe atribua o que se apercebe mais manifestamente e o que nos pertence de uma maneira particular, porque de nada serve ir mais adiante. Seria bom, no entanto, escolher termos próprios a ambos os sentidos para evitar o equívoco. Assim, essas expressões que estão na nossa alma, quer as concebamos ou não, podem ser chamadas de *ideias*, mas aquelas que se concebem ou formam podem ser ditas noções, *conceptus*. Mas, de qualquer maneira que se o considere, é sempre falso dizer que todas as nossas noções provêm dos sentidos denominados exteriores, pois aquela que eu tenho de mim e dos meus pensamentos, e, por conseguinte, do ser, da substância, da ação, da identidade, e de muitas outras coisas, provém de uma experiência interna.

XXVIII – Só Deus é o objeto imediato das nossas percepções, que existe fora de nós, e só Ele é a nossa luz.

Ora, no rigor da verdade metafísica, não há nenhuma causa externa que aja sobre nós, exceto Deus apenas, e somente Ele se comunica conosco imediatamente em virtude da nossa dependência contínua. Donde se infere que não há nenhum outro objeto externo que toque nossa alma e que excite imediatamente a nossa percepção. Além disso, só temos em nossa alma as ideias de todas as coisas em virtude da ação contínua de Deus sobre nós, ou seja, porque todo efeito exprime sua causa, e assim a essência da nossa alma é uma certa expressão ou imitação ou imagem da essência, pensamento e vontade divinos e de todas as ideias aí compreendidas. Pode-se então dizer que Deus é o nosso único objeto imediato fora de nós, e que vemos todas as coisas por Ele; por exemplo, sempre que vemos o sol e os astros, foi Deus quem nos deu e conserva as ideias deles, e que nos determina a pensar nelas efetivamente, pelo seu concurso ordinário, no tempo em que os nossos sentidos estão dispostos de uma certa maneira, segundo as leis que Ele estabeleceu. Deus é o sol e a luz das almas, *lumen illuminans omnem hominem venientem in hunc mundum* (luz que ilumina todo homem que vem a este mundo), e não é de hoje que se está neste sentimento. A partir da Sagrada Escritura e dos Santos Padres, que sempre foram mais favoráveis a Platão do que a Aristóteles, lembro-me de ter notado outrora que, no tempo dos escolásticos, muitos acreditaram que Deus é a luz da alma, e, segundo a sua maneira de falar, *intellectus agens animae rationalis* (o intelecto agente da alma racional). Os Averroistas lhe adulteraram o sentido, mas outros, dentre os quais creio que se encontre Guilherme de Saint-Amour, e vários teólogos místicos, o tomaram de uma maneira digna de Deus e capaz de elevar a alma ao conhecimento do seu bem.

XXIX – No entanto, pensamos imediatamente pelas nossas próprias ideias e não pelas de Deus.

No entanto, não partilho o sentimento de alguns hábeis filósofos, que parecem sustentar que as nossas ideias mesmas estão em Deus, e de maneira nenhuma em nós. Na minha opinião, isto se deve ao fato de eles não terem ainda considerado suficientemente o que acabamos de explicar aqui no tocante às substâncias, nem toda a extensão e independência da nossa alma, que faz com que ela encerre tudo o que lhe acontece, e que exprima Deus, e, com Ele, todos os seres possíveis e atuais, como um efeito exprime a sua causa. Além disso, é uma coisa inconcebível que eu pense pelas ideias de outrem. É preciso também que a alma seja afetada efetivamente de uma certa maneira, sempre que ela pensar em alguma coisa, e é preciso que haja nela de antemão não só a potência passiva de poder ser afetada assim, a qual já está totalmente determinada, mas ainda uma potência ativa, em virtude da qual sempre tenha havido na sua natureza marcas da produção futura deste pensamento e das disposições a produzi-lo em seu tempo. Tudo isto já envolve a ideia compreendida neste pensamento.

XXX – Como Deus inclina nossa alma sem a necessitar; que não se tem o direito de queixar-se, que não se deve perguntar por que Judas peca, mas somente por que Judas, o pecador, é admitido à existência preferivelmente a algumas outras pessoas possíveis. Da imperfeição original antes do pecado, e dos graus da graça.

No que concerne à ação de Deus sobre a vontade humana, há numerosas considerações, bastante difíceis, que seria longo desenvolver aqui. No entanto, eis o que se pode dizer *grosso modo*. Deus, concorrendo ordinariamente para as nossas ações, apenas segue as leis que estabeleceu, isto é, conserva e produz continuamente o nosso ser de modo a que os pensamentos nos cheguem espontânea ou livremente na ordem da noção da nossa substância individual, na qual se podia prevê-los desde toda a eternidade. Além disso, em virtude do decreto que Ele fez, de que a vontade tenderia sempre para o bem aparente, exprimindo ou imitando a vontade de Deus sob certos aspectos particulares, em relação aos quais esse bem aparente tem sempre algo de verdadeiro, ele determina a nossa para a escolha do que parece melhor, sem, não obstante, a necessitar. Pois, absolutamente falando, ela está na indiferença, desde que se a oponha à necessidade, e ela tem o poder de proceder de outra maneira ou ainda de suspender totalmente a sua ação, ambos os partidos sendo e permanecendo possíveis. Depende, portanto, da alma precaver-se contra as surpresas das aparências por uma firme vontade de refletir, e de só agir ou julgar em certos encontros depois de ter deliberado bem e maduramente. É verdadeiro, no entanto, e mesmo certo, desde toda a eternidade, que nenhuma alma se servirá deste poder em um tal encontro. Mas quem o pode, no entanto? E pode ela queixar-se senão dela mesma? Pois todas essas queixas após o fato são injustas, quando teriam sido injustas antes do fato. Ora, essa alma, um pouco antes de pecar, de bom grado se queixaria de Deus como se Ele a determinasse ao pecado? As determinações de Deus nessas matérias sendo coisas que não se poderia prever, como ela sabe que está determinada a pecar, senão sempre que ela peca já efetivamente? Trata-se apenas de não querer, e Deus não poderia propor uma condição mais fácil e mais justa; também todos os juízes, sem procurar as razões que dispuseram um homem a ter uma má vontade, só se preocupam em considerar o quanto essa vontade é má. Mas pode ser que Ele esteja assegurado, desde toda a eternidade, de que eu pecarei? Respondei vós mesmos: pode ser que não; e, sem sonhar com o que não podereis conhecer, e que não vos pode dar nenhuma luz, agi segundo o vosso dever que vós conheceis. Mas, dirá algum outro, donde vem que este homem cometerá seguramente este pecado? A resposta é fácil: é que, de outra maneira, não seria este homem. Pois Deus vê, desde sempre, que existirá um certo

Judas, cuja noção ou ideia que Deus tem dele contém esta ação futura livre. Resta, portanto, apenas esta questão: por que um tal judas, o traidor, que só é possível na ideia de Deus, existe atualmente? Mas para esta questão não há resposta a esperar neste mundo, a não ser que em geral se deva dizer que, porquanto Deus achou bom que ele existisse, não obstante o pecado que Ele previa, é preciso que este mal se recompense com usura no universo, que Deus tire dele um maior bem, e que se descubra, em suma, que essa série de coisas na qual a existência desse pecador está compreendida, seja a mais perfeita dentre todas as outras formas possíveis. Mas explicar sempre a admirável economia desta escolha, não se o pode fazer enquanto formos viajantes neste Mundo; é suficiente sabê-lo sem o compreender. E é aqui que é tempo de reconhecer *altitudinem divitiarum* (a altitude das riquezas), a profundidade e o abismo da divina sabedoria, sem buscar uma pormenorização que envolva considerações infinitas. Vê-se bem, no entanto, que Deus não é a causa do mal. Pois, não somente após a perda da inocência dos homens o pecado original se apoderou da alma, mas ainda anteriormente havia uma limitação ou imperfeição original conatural a todas as criaturas, que as torna pecáveis ou capazes de falhar. Assim, não há mais dificuldade em relação aos supralapsários do que em relação aos outros. E é a que se deve reduzir, na minha opinião, o sentimento de Santo Agostinho e outros autores, de que a raiz do mal está no nada, quer dizer, na privação ou limitação das criaturas, que Deus remedeia graciosamente pelo grau de perfeição que lhe apraz dar. Essa graça de Deus, seja ordinária ou extraordinária, tem seus graus e suas medidas; ela é sempre eficaz nela mesma para produzir um certo efeito proporcionado, e ademais ela é sempre suficiente, não somente para nos preservar do pecado, mas até mesmo para produzir a salvação, supondo-se que o homem dela participe pelo que lhe compete, mas ela nem sempre é suficiente para superar as inclinações do homem, pois de outra maneira ele não tenderia a mais nada, e isto é reservado exclusivamente à graça absolutamente eficaz que é sempre vitoriosa, quer por si, quer devido à congruência das circunstâncias.

XXXI – Dos motivos da eleição, da fé prevista, da ciência média, do decreto absoluto. E que tudo se reduz à razão pela qual Deus escolheu para a existência uma tal pessoa possível, cuja noção encerra uma tal série de graças e de ações livres. O que faz cessarem, de repente, as dificuldades.

Enfim, as graças de Deus são graças totalmente puras, sobre as quais as criaturas nada têm a pretender: no entanto, como não é suficiente, para explicar a escolha feita por Deus na dispensação destas graças, recorrer à previsão absoluta ou condicional das ações futuras dos homens, não se deve tampouco imaginar-se decretos absolutos que não tenham nenhum motivo razoável. No que concerne à fé ou às boas obras previstas, é muito verdadeiro que Deus só elegeu aqueles cuja fé e caridade Ele previu, *quos se fide donaturum praescibit* (aqueles que Ele previu que se entregariam à fé), mas volta a mesma questão: por que Deus dará a uns e não a outros a graça da fé ou das boas obras? E quanto a esta ciência de Deus, que é a previsão não da fé e das boas ações, mas de sua matéria e predisposição, ou do que o homem para elas contribuiria de sua parte (porquanto é verdade que há diversidade da parte dos homens, aí onde há da parte da graça, e que, com efeito, é preciso que o homem, conquanto tenha necessidade de ser incitado ao bem e convertido, para tanto aja também posteriormente), parece para muitos que se poderia dizer que Deus, vendo o que o homem faria sem a graça ou assistência extraordinária, ou, pelo menos, o que haverá de sua parte, fazendo-se abstração da graça, poderia resolver-se a dar a graça àqueles cujas disposições naturais fossem as melhores, ou, pelo menos, as menos imperfeitas ou menos más. Mas quando isso acontecesse, poder-se-ia dizer que estas disposições naturais, na medida em que são boas, são ainda o efeito de uma graça, se bem que ordinária, Deus tendo favorecido uns mais do que outros: e porquanto Ele sabe bem que estas vantagens naturais que Ele dá servirão de motivo para a graça ou assistência extraordinária, segundo esta doutrina, não é verdadeiro que enfim o todo se reduza inteiramente à sua misericórdia? Creio então (porquanto não sabemos o quanto ou como Deus considera as disposições naturais na dispensação da graça) que o mais exato e o mais seguro seja dizer, segundo os nossos princípios e como já observei, que é preciso que haja dentre os entes possíveis a pessoa de Pedro ou de João, cuja noção ou ideia contém toda esta série de graças ordinárias e extraordinárias e todo o resto desses acontecimentos com suas circunstâncias, e que aprouve a Deus escolhê-la dentre uma infinidade de outras pessoas igualmente possíveis, para existir atualmente: após o que parece que não há mais nada a perguntar e que todas as dificuldades se evanescem. Pois, quanto a esta única e grande pergunta, por que aprouve a Deus escolhê-la dentre tantas outras pessoas possíveis, é preciso ser bem irrazoável para não se contentar com as razões gerais que demos, cujo pormenor nos ultrapassa. Assim, em vez de recorrer a um decreto absoluto que, sendo sem razão, é irrazoável, ou a razões que não conseguem resolver a dificuldade e precisam de outras razões, o melhor será dizer, de acordo com São Paulo, que ele tem para isso certas grandes razões de sabedoria ou de congruência desconhecidas dos mortais e fundadas na ordem geral, cujo fim é a maior perfeição do universo, que Deus observou. É aonde voltam os motivos da glória de Deus e da manifestação de sua justiça, assim como da sua misericórdia, e geralmente de suas perfeições; e, enfim, essa profundidade imensa de riquezas das quais o mesmo São Paulo tinha a alma regozijada.

XXXII – Utilidade destes princípios em matéria de piedade e religião.

De resto, parece que os pensamentos que nós acabamos de explicar, e, particularmente, o grande princípio da perfeição das operações de Deus e aquele da noção da substância que encerra todos os seus acontecimentos com todas as suas circunstâncias, bem longe de prejudicar, servem para confirmar a religião, para dissipar dificuldades muito grandes, para inflamar as almas de um amor divino e para elevar os espíritos ao conhecimento das substâncias incorpóreas, bem mais do que as hipóteses que vimos até aqui. Pois vê-se muito claramente que todas as outras substâncias dependem de Deus como os pensamentos emanam da nossa substância, que Deus é tudo em todos, e que Ele está unido intimamente a todas as criaturas, embora na medida de suas perfeições, que é Ele o único que as determina de fora pela sua influência, e, se agir é determinar imediatamente, pode-se dizer neste sentido na linguagem metafísica, que só Deus opera sobre mim, e só Ele me pode fazer bem ou mal; as outras substâncias só contribuindo à razão dessas determinações, porque Deus, considerando a todas, partilha suas bondades e as obriga a se acomodarem entre elas. Além disso, só Deus estabelece a ligação e a comunicação das substâncias, e é por Ele que os fenômenos de umas se encontram e harmonizam com os de outras, e, por conseguinte, há realidade nas nossas percepções. Mas, na prática, atribui-se a ação às razões particulares, no sentido que expliquei acima, porque não é necessário fazer sempre menção da causa universal nos casos particulares. Vê-se também que toda substância tem uma perfeita espontaneidade (que se torna liberdade nas substâncias inteligentes); que tudo o que lhe acontece é uma consequência da sua ideia ou do seu ser, e que nada a determina, exceto Deus somente. E é por isso que uma pessoa cujo espírito era muito elevado e cuja santidade é muito venerada, tinha o costume de dizer que a alma deve frequentemente pensar como se só houvesse Deus e ela no mundo. Ora, nada faz compreender mais fortemente a imortalidade do que essa independência e essa extensão da alma que a protege absolutamente de todas as coisas exteriores, porquanto ela sozinha faz todo o seu mundo, e se basta com Deus: e é tão impossível que ela pereça sem aniquilação, que é impossível que o mundo (do qual ela é uma expressão viva, perpétua) se destrua a si mesmo, ademais, não é possível que as mudanças dessa massa extensa chamada nosso corpo nada façam sobre a alma, nem que a dissipação deste corpo destrua o que é indivisível.

XXXIII – Explicação da união da alma e do corpo, que passou por inexplicável ou miraculosa, e da origem das percepções confusas.

Vê-se também o esclarecimento deste grande mistério da *união da alma e do corpo*, isto é, como acontece que as paixões e as ações de um sejam acompanhadas das ações e paixões, ou então dos fenômenos convenientes do outro. Pois não há meio de conceber que um tenha influência sobre o outro, e não é razoável recorrer simplesmente à operação extraordinária da causa universal em uma coisa ordinária e particular. Mas eis a verdadeira razão: nós dissemos que tudo o que acontece à alma e a cada substância é uma consequência de sua noção, portanto, a própria ideia ou essência da alma implica que todas as suas aparências ou percepções lhe devam nascer (*sponte*) da sua própria natureza, e justamente de sorte a que elas respondam por elas mesmas ao que acontece em todo o universo, porém mais particular e perfeitamente ao que acontece no corpo que lhe é afetado, porque é, de certa forma e por um tempo, segundo a relação dos outros corpos com o seu, que a alma exprime o estado do universo. O que dá a conhecer ainda como o nosso corpo nos pertence sem, no entanto, estar preso à nossa essência. E acredito que as pessoas que sabem meditar julgarão vantajosamente os nossos princípios, justamente porque poderão ver facilmente em que consiste a conexão que existe entre a alma e o corpo, que parece inexplicável por qualquer outra via. Vê-se também que as percepções dos nossos sentidos, mesmo quando são claras, devem necessariamente conter algum sentimento confuso, pois, como todos os corpos do universo simpatizam, o nosso recebe a impressão de todos os outros, e conquanto os nossos sentidos se refiram a tudo, não é possível que a nossa alma possa atender a tudo em particular; eis por que os nossos sentimentos confusos são o resultado de uma variedade de percepções que é totalmente infinita. E é mais ou menos como o murmúrio confuso ouvido por quem se aproxima da beira do mar vem da reunião das repercussões de vagas inumeráveis. Ora, se de diversas percepções (que não chegam a um acordo para se tornarem uma) não há nenhuma que se sobressaia às outras, e se elas provocam impressões quase igualmente fortes ou igualmente capazes de determinar a atenção da alma, ela só pode aperceber-se delas confusamente.

XXXIV – Da diferença entre espíritos e demais substâncias, almas ou formas substanciais, e de que a imortalidade que se exige implica a lembrança.

Supondo-se que os corpos que são *unum per se* (um por si), como o homem, sejam substâncias, e que tenham formas substanciais, e que os animais irracionais tenham almas, é-se obrigado a reconhecer que essas almas e essas formas substanciais não poderiam perecer inteiramente, tampouco os átomos ou as partes últimas da matéria, na opinião de outros filósofos; pois nenhuma substância perece, conquanto possa se tornar totalmente diferente. Elas exprimem também todo o universo, conquanto mais imperfeitamente do que os espíritos. Mas a principal diferença é que elas não conhecem o que são, nem o que fazem, e, por consequência, não podendo refletir, elas não poderiam descobrir verdades necessárias e universais. É também por falta de reflexão sobre si mesmas que elas não têm qualidade moral, donde se segue que, passando por mil transformações, mais ou menos como vemos que uma lagarta se transforma em borboleta, para a moral ou prática é como se se dissesse que elas perecem, e pode-se mesmo dizê-lo fisicamente, como dizemos que os corpos perecem pela sua corrupção. Mas a alma inteligente, conhecedora do que ela é, e podendo dizer este *EU*, que diz muito, não permanece somente e subsiste metafisicamente, bem mais do que as outras, mas ela permanece ainda a mesma moralmente e constitui o mesmo personagem. Pois é a lembrança, ou o conhecimento deste *eu*, que a torna capaz de castigo ou de recompensa.

Além disso, a imortalidade que se exige na moral e na religião não consiste exclusivamente nesta subsistência perpétua, que convém a todas as substâncias, pois, sem a lembrança do que se foi, ela nada teria de desejável. Suponhamos que algum particular deva tornar-se subitamente rei da China, mas com a condição de esquecer o que ele foi, como se acabasse de nascer totalmente de novo; não é, tanto na prática como quanto aos efeitos dos quais pode-se aperceber-se, como se ele devesse ser aniquilado, e que um rei da China devesse ser criado no mesmo instante em seu lugar? O que este particular não tem nenhuma razão para desejar.

XXXV – Excelência dos espíritos, e que Deus os considera preferivelmente às outras criaturas. Que os espíritos exprimem antes Deus do que o mundo, mas que as outras substâncias exprimem antes o mundo do que Deus.

Mas, para fazer julgar por razões naturais que Deus conservará sempre, não somente a nossa substância, mas ainda a nossa pessoa, isto é, a lembrança e o conhecimento do que somos (embora o conhecimento distinto seja às vezes suspenso no sono e nos desmaios), é preciso juntar a moral à metafísica, ou seja, não basta considerar Deus como o princípio e a causa de todas as substâncias e de todos os seres, mas ainda como chefe de todas as pessoas ou substâncias inteligentes, e como o monarca absoluto da mais perfeita cidade ou república, tal como é aquela do universo, composta de todos os espíritos em conjunto, Deus mesmo sendo tanto o mais perfeito de todos os espíritos, quanto Ele é o maior de todos os seres. Pois seguramente os espíritos são os mais perfeitos, e que exprimem melhor a Divindade; e a toda a natureza, fim, virtude e função das substâncias cabe apenas exprimir Deus e o universo, como foi suficientemente explicado, não há margem para duvidar de que as substâncias que o exprimem com conhecimento do que fazem, e que são capazes de conhecer grandes verdades acerca de Deus e do universo, o exprimam incomparavelmente melhor do que essas naturezas que são ou brutas, ou incapazes de conhecer verdades, ou totalmente destituídas de sentimento e de conhecimento; e a diferença entre as substâncias inteligentes e aquelas que não o são é tão grande quanto aquela que há entre o espelho e aquele que vê. E como Deus mesmo é o maior e o mais sábio dos espíritos, é fácil julgar que os seres com os quais Ele pode, por assim dizer, entrar em conversação e mesmo em sociedade, comunicando-lhes seus sentimentos e suas vontades de uma maneira particular, e de tal sorte que possam conhecer e amar o seu benfeitor, o devem tocar infinitamente mais do que o resto das coisas, que só podem passar por instrumentos dos espíritos; como vemos que todas as pessoas sábias dão infinitamente mais importância a um homem do que a qualquer outra coisa, por mais preciosa que ela seja, e parece que a maior satisfação que uma alma, que aliás seja contente, pode ter é ver-se amada pelas outras, embora, quanto a Deus, haja esta diferença: a sua glória e o nosso culto nada poderiam acrescentar à sua satisfação, sendo o conhecimento das criaturas apenas uma consequência da sua soberana e perfeita felicidade, bem longe de contribuir para ela ou de ser em parte a sua causa. No entanto, o que é bom e razoável nos espíritos finitos acha-se eminentemente nele, e como louvaríamos um rei que preferisse antes conservar a vida de um homem do que a do mais precioso e raro dos seus animais, não devemos duvidar de que o mais esclarecido e justo de todos os monarcas tenha o mesmo sentimento.

XXXVI – Deus é o monarca da mais perfeita república composta de todos os espíritos, e a felicidade desta cidade de Deus é o seu principal desígnio.

Com efeito, os espíritos são as substâncias mais perfectíveis, e suas perfeições têm a característica de impedirem-se mutuamente ao mínimo, ou antes de ajudarem-se mutuamente, pois só os mais virtuosos poderão ser os mais perfeitos amigos: donde se segue manifestamente que Deus, que vai sempre para a maior perfeição em geral, terá o máximo de cuidado com os espíritos, e lhes dará, não somente em geral, mas mesmo a cada um em particular, o máximo de perfeição que a harmonia universal puder permitir. Pode-se até mesmo dizer que Deus, enquanto espírito, é a origem das existências; de outro modo, se carecesse de vontade para escolher o melhor, não haveria razão alguma para que um possível existisse preferivelmente a outros. Assim, a qualidade de Deus, de ser Ele próprio espírito, ultrapassa todas as outras considerações que Ele pode ter para com as criaturas; só os espíritos são feitos à sua imagem, e quase da sua raça ou como filhos da casa, porquanto só eles o podem servir livremente e agir com conhecimento à imitação da natureza divina: um único espírito vale um mundo inteiro, porquanto ele não o exprime somente, mas também o conhece e aí se governa à maneira de Deus. De tal forma que, embora toda substância exprima todo o universo, parece que, não obstante, as outras substâncias exprimem antes o mundo do que Deus, mas que os espíritos exprimem antes Deus do que o mundo. E esta natureza tão nobre dos espíritos, que os aproxima da divindade tanto quanto é possível para as simples criaturas, faz com que Deus tire deles infinitamente mais glória que do resto dos seres, ou antes que os outros seres só deem a matéria aos espíritos para glorificá-lo. Eis por que esta qualidade moral de Deus, que o torna o senhor ou monarca dos espíritos, lhe concerne por assim dizer pessoalmente de uma maneira totalmente singular. É nisso que Ele se humaniza, dispõe-se a sofrer antropologias, e entra em sociedade conosco, como um príncipe com seus súditos; e esta consideração lhe é tão cara, que o feliz e florescente estado do seu império, que consiste na maior felicidade possível dos habitantes, torna-se a suprema das suas leis. Pois a felicidade é para as pessoas o que a perfeição é para os seres. E se o primeiro princípio da existência do mundo físico é o decreto de lhe dar o máximo de perfeição que se possa, o primeiro desígnio do mundo moral, ou da cidade de Deus, que é a mais nobre parte do universo, deve ser o de aí espalhar o máximo de felicidade que seja possível. Não se deve então duvidar que Deus tenha ordenado tudo de sorte que os espíritos não somente possam viver sempre, o que é infalível, mas ainda que conservem sempre a sua qualidade moral, a fim de que a sua cidade não perca nenhuma pessoa, como o mundo não perde nenhuma substância. E, por conseguinte, saberão sempre o que são; de outro modo não seriam suscetíveis de recompensa, nem de castigo, o que é, no entanto, da essência de uma república, mas sobretudo da mais perfeita, onde nada poderia ser negligenciado. Enfim, Deus sendo ao mesmo tempo o mais justo e o mais afável dos monarcas e nada exigindo além da boa vontade, desde que ela seja sincera e séria, seus súditos não poderiam desejar uma melhor condição, e, para os tornar perfeitamente felizes, Ele quer somente que se o ame.

XXXVII – Jesus Cristo descobriu para os homens o mistério e as leis admiráveis do Reino dos Céus e a grandeza da suprema felicidade que Deus prepara para aqueles que o amam.

Os antigos filósofos conheceram muito pouco estas importantes verdades: só Jesus Cristo as exprimiu divinamente bem, e de uma maneira tão clara e familiar, que os espíritos mais grosseiros as conceberam. Também o seu Evangelho mudou inteiramente a face das coisas humanas; Ele nos deu a conhecer o Reino dos Céus ou esta república perfeita dos espíritos que merece o título de Cidade de Deus, cujas leis admiráveis descobriu para nós: só Ele mostrou o quanto Deus nos ama, e com que exatidão proveu a tudo o que nos toca; que, cuidando dos passarinhos, não negligenciará as criaturas racionais que lhe são infinitamente mais queridas; que todos os cabelos da nossa cabeça estão contados; que o céu e a terra perecerão antes que a palavra de Deus e o que pertence à economia da nossa salvação sejam mudados; que Deus tem mais cuidado com a menor das almas inteligentes do que com toda a máquina do mundo; que não devemos temer aqueles que podem destruir os corpos, mas não poderiam prejudicar as almas, porquanto só Deus as pode tornar felizes ou infelizes; e que aquelas dos justos estão em sua mão, protegidas de todas as revoluções do universo, nada podendo agir sobre elas senão somente Deus; que nenhuma das nossas ações é esquecida; que tudo é levado em conta, até mesmo as palavras ociosas, e até mesmo uma colherada de água bem empregada; enfim, que tudo deve redundar no maior bem dos bons; que os justos serão como sóis, e que nem os nossos sentidos nem o nosso espírito jamais experimentaram algo próximo da felicidade que Deus prepara para aqueles que o amam.

Vozes de Bolso

- *Assim falava Zaratustra* – Friedrich Nietzsche
- *O príncipe* – Nicolau Maquiavel
- *Confissões* – Santo Agostinho
- *Brasil: nunca mais* – Mitra Arquidiocesana de São Paulo
- *A arte da guerra* – Sun Tzu
- *O conceito de angústia* – Søren Aabye Kierkegaard
- *Manifesto do Partido Comunista* – Friedrich Engels e Karl Marx
- *Imitação de Cristo* – Tomás de Kempis
- *O homem à procura de si mesmo* – Rollo May
- *O existencialismo é um humanismo* – Jean-Paul Sartre
- *Além do bem e do mal* – Friedrich Nietzsche
- *O abolicionismo* – Joaquim Nabuco
- *Filoteia* – São Francisco de Sales
- *Jesus Cristo Libertador* – Leonardo Boff
- *A Cidade de Deus – Parte I* – Santo Agostinho
- *A Cidade de Deus – Parte II* – Santo Agostinho
- *O conceito de ironia constantemente referido a Sócrates* – Søren Aabye Kierkegaard
- *Tratado sobre a clemência* – Sêneca
- *O ente e a essência* – Tomás de Aquino
- *Sobre a potencialidade da alma – De quantitate animae* – Santo Agostinho
- *Sobre a vida feliz* – Santo Agostinho
- *Contra os acadêmicos* – Santo Agostinho
- *A Cidade do Sol* – Tommaso Campanella
- *Crepúsculo dos ídolos ou Como se filosofa com o martelo* – Friedrich Nietzsche
- *A essência da filosofia* – Wilhelm Dilthey
- *Elogio da loucura* – Erasmo de Roterdã
- *Linguagem corporal em 30 minutos* – Monika Matschnig
- *Utopia* – Thomas Morus
- *Do contrato social* – Jean-Jacques Rousseau
- *Discurso sobre a economia política* – Jean-Jacques Rousseau
- *Vontade de potência* – Friedrich Nietzsche
- *A genealogia da moral* – Friedrich Nietzsche
- *O banquete* – Platão
- *Os pensadores originários* – Anaximandro, Parmênides, Heráclito
- *A arte de ter razão* – Arthur Schopenhauer
- *Discurso sobre o método* – René Descartes
- *Que é isto – A filosofia?* – Martin Heidegger
- *Identidade e diferença* – Martin Heidegger
- *Sobre a mentira* – Santo Agostinho
- *Da arte da guerra* – Nicolau Maquiavel
- *Os direitos do homem* – Thomas Paine

- *Sobre a liberdade* – John Stuart Mill
- *Defensor menor* – Marsílio de Pádua
- *Tratado sobre o regime e o governo da cidade de Florença* –
  J. Savonarola
- *Primeiros princípios metafísicos da Doutrina do Direito* –
  Immanuel Kant
- *Carta sobre a tolerância* – John Locke
- *A desobediência civil* – Henrry David Thoureau
- *A ideologia alemã* – Karl Marx e Friedrich Engels
- *O Conspirador* – Nicolau Maquiavel
- *Discurso de metafísica* – G.W. Leibniz
- *Segundo Tratado sobre o governo civil e outros escritos* – John Locke
- *Miséria da Filosofia* – Karl Marx
- *Escritos seletos* – Martinho Lutero
- *Escritos seletos* – João Calvino

CATEQUÉTICO PASTORAL

Catequese – Pastoral
Ensino religioso

CULTURAL

Administração – Antropologia – Biografias
Comunicação – Dinâmicas e Jogos
Ecologia e Meio Ambiente – Educação e Pedagogia
Filosofia – História – Letras e Literatura
Obras de referência – Política – Psicologia
Saúde e Nutrição – Serviço Social e Trabalho
Sociologia

TEOLÓGICO ESPIRITUAL

Biografias – Devocionários – Espiritualidade e Mística
Espiritualidade Mariana – Franciscanismo
Autoconhecimento – Liturgia – Obras de referência
Sagrada Escritura e Livros Apócrifos – Teologia

REVISTAS

Concilium – Estudos Bíblicos
Grande Sinal – REB

PRODUTOS SAZONAIS

Folhinha do Sagrado Coração de Jesus
Calendário de mesa do Sagrado Coração de Jesus
Agenda do Sagrado Coração de Jesus
Almanaque Santo Antônio – Agendinha
Diário Vozes – Meditações para o dia a dia
Encontro diário com Deus
Guia Litúrgico

VOZES NOBILIS

Uma linha editorial especial, com importantes autores, alto valor agregado e qualidade superior.

VOZES DE BOLSO

Obras clássicas de Ciências Humanas em formato de bolso.

CADASTRE-SE
www.vozes.com.br

EDITORA VOZES LTDA.
Rua Frei Luís, 100 – Centro – Cep 25689-900 – Petrópolis, RJ
Tel.: (24) 2233-9000 – Fax: (24) 2231-4676 – E-mail: vendas@vozes.com.br

UNIDADES NO BRASIL: Belo Horizonte, MG – Brasília, DF – Campinas, SP – Cuiabá, MT
Curitiba, PR – Fortaleza, CE – Goiânia, GO – Juiz de Fora, MG
Manaus, AM – Petrópolis, RJ – Porto Alegre, RS – Recife, PE – Rio de Janeiro, RJ
Salvador, BA – São Paulo, SP